令和6年10月改訂

基礎の基礎

1日でマスター

法人税申告書の作成

税理士 柴田 知央 著

清文社

改訂にあたって

本書の初版は、次のことを目的として、平成23年10月に刊行されました。

① 法人税申告書を作成するための基本的な知識を身につけること

② 実務で必須の別表をマスターすること

③ 演習では、別表を作成していくことが体感できるようにすること

④ 図を多く取り入れ、決算書及び各別表のつながりを理解すること

初版の刊行から13年が過ぎ、毎年行われる税制改正に伴い、別表も改訂されています。
税務に携わる人にとって税制改正による知識の更新は必須です。

そこで、今回の改訂では、令和6年度税制改正までの改正事項を盛り込み、最新の別表様式を用いて、制作しています。

近年では、電子申告の普及も進み、令和5年度の e-Tax による法人税申告の利用件数は、約2,806千件（＊）と年々増加しています。

確かに、ソフトウエアを使えば、簡単に申告書を作成することができます。

しかしながら、キチンと別表を理解していないと、決算書や各別表とのつながりが良く分からず、また、誤りも起きやすいのではないでしょうか。

別表を理解するための早道は、まず、自分の手で、別表を記載してみることです。

別表は、国税庁のウェブサイト（https://www.nta.go.jp）から入手することができますので、是非、挑戦してみて下さい。

また、令和6年10月改訂版では、巻末付録として、中小企業者が給与等の支給額が増加した場合の法人税額の特別控除、いわゆる賃上げ促進税制を適用する場合の別表の記載の仕方を載せています。

本書が皆様にとって、お役に立つことができれば幸いです。

令和6年9月

柴田　知央

（＊）e-TAX の利用件数（https：//www.e-tax.nta.go.jp/topics/topics_kensu.htm）

は じ め に

　「法人税申告書の作成を任されたけど、どこから手を付ければよいのか分からない」、実務では、このような悩みが少なからず聞こえてきます。

　法人税法を勉強しても、必ずしも、申告書を作成できるとは限りません。

　私自身もそうでした。

　その原因は、難解な専門用語もさることながら、申告書の書式にあるものと考えられます。

　申告書は、約200種類ある別表と呼ばれるＡ４の紙で構成されています。

　これら別表では、１つのテーマにつき、１枚の中にあらゆる情報を記載していきます。

　そのため、どこに何を記載してよいのか、非常に分かり難いものになっています。

　このようなことから、本書は、次のことに心がけて作成しました。

　　①法人税申告書を作成するための基本的な知識を身につけること

　　②実務で必須の別表をマスターすること

　　③別表を作成していくことが体感できるようにすること

　　④図を多く取り入れ、決算書および各別表のつながりを理解すること

　また、分かりやすく解説するため、難解な専門用語をできるだけ簡潔することに努めました。そのため、法人税法の用語と異なるといったご批判もあるかと思いますが、ご容赦ください。

　申告書の作成をマスターする早道は、自分で申告書を書いてみることです。

　本書の演習は、皆さんがステップアップ株式会社の経理責任者となり、別表を作成していく物語になっています。

　是非、演習を通して、ご自身で別表を記載してみてください。

　別表は、国税庁のホームページ（http://www.nta.go.jp）から入手することができます。

　本書が読者皆様の法人税法の理解、申告書の作成に役立つことができたならば私の喜びとするところであります。

　最後に、本書の企画から刊行まで担当いただいた株式会社清文社の橋詰守氏はじめ制作に携わっていただいた皆様に心から謝意を表します。

平成23年９月

柴田　知央

■目　次

改訂にあたって
はじめに

Ⅰ　申告書を作成するための基礎知識

1．法人税を理解しよう ……………………………………………………… 2
（1）法人税は会社が負担する国税 ………………………………………… 2
（2）法、施行令、施行規則、通達とは………………………………………… 2
（3）法人税は何に対してかかるのか ……………………………………… 3
（4）会計と法人税法の目的の違い ………………………………………… 3
（5）「利益」と「所得」 ………………………………………………………… 4
（6）どのようにして所得を導き出すか ……………………………………… 4
（7）別表とは ……………………………………………………………………… 6
（8）必要な別表を探すには ……………………………………………………… 6

2．別表4の構造をみてみよう ……………………………………………… 8

3．別表5（1）の構造をみてみよう …………………………………… 10

4．留保と社外流出 …………………………………………………………… 13
（1）別表4の2つの役割 ………………………………………………………… 13
（2）留保と社外流出 …………………………………………………………… 14
（3）留保から利益積立金額へ ………………………………………………… 15

Ⅱ　企業グループと株主をおさえよう

1．企業グループをおさえよう ……………………………………………… 18
（1）グループ法人税制の考え方 ……………………………………………… 18
（2）企業グループとは ………………………………………………………… 20
【演習】出資関係図をみてみよう ……………………………………………… 25

2．会社の株主をおさえよう ………………………………………………… 26
（1）同族会社と非同族会社 …………………………………………………… 26

（２）株主グループとは ………………………………………………………… 27

（３）同族会社にはキビシイ …………………………………………………… 28

（４）特定同族会社とは ………………………………………………………… 28

【演習】別表２を作成してみよう ……………………………………………… 31

Ⅲ　法人税の申告書を作成してみよう

1．決算書から別表へ ……………………………………………………………… 38

（１）申告書の作成の流れを確認しよう ……………………………………… 38

（２）申告書を作成してみよう ………………………………………………… 39

【演習】決算書の金額を別表へ転記してみよう ……………………………… 40

2．受取配当金の処理をマスターしよう ……………………………………… 43

（１）受取配当金には税金がかからない ……………………………………… 43

（２）益金不算入となる配当金とならない配当金 …………………………… 44

（３）益金不算入額の計算 ……………………………………………………… 45

【演習】別表8（1）を作成してみよう ………………………………………… 50

3．貸倒引当金の処理をマスターしよう ……………………………………… 56

（１）引当金とは ………………………………………………………………… 56

（２）法人税法の引当金の考え方 ……………………………………………… 56

（３）損金経理とは ……………………………………………………………… 57

（４）差額補充法と洗替法 ……………………………………………………… 58

（５）貸倒引当金の適用できる法人 …………………………………………… 59

（６）個別評価債権に係る貸倒引当金 ………………………………………… 59

【演習】別表11（1）を作成してみよう ……………………………………… 66

（７）一括評価債権に係る貸倒引当金 ………………………………………… 74

【演習】別表11（1の2）を作成してみよう ………………………………… 78

4．賞与引当金の処理をマスターしよう ……………………………………… 88

（１）賞与とは …………………………………………………………………… 88

（２）賞与引当金とは …………………………………………………………… 88

（３）賞与引当金の法人税法の取扱い ………………………………………… 89

【演習】賞与引当金の申告調整をしてみよう ………………………………… 90

5．交際費の処理をマスターしよう ········· 93

（1）交際費はキビシイ ········· 93

（2）法人税法の交際費とは ········· 93

（3）法人税法の交際費とならないもの ········· 94

（4）少額の接待飲食費 ········· 95

（5）交際費の損金不算入額の計算 ········· 95

【演習】別表15を作成してみよう ········· 98

6．減価償却の処理をマスターしよう ········· 103

（1）会計の減価償却の考え方 ········· 103

（2）法人税法の減価償却の考え方 ········· 103

（3）損金とするための要件 ········· 104

（4）定額法と定率法 ········· 104

（5）減価償却費のポイント ········· 105

（6）取得価額をおさえよう ········· 105

（7）耐用年数表をみてみよう ········· 106

（8）償却率を調べよう ········· 107

（9）償却限度額を計算してみよう ········· 109

（10）償却可能限度額に達した固定資産 ········· 112

【演習】別表16（1）、別表16（2）を作成してみよう ········· 114

7．少額の減価償却資産の処理をマスターしよう ········· 127

（1）資産と費用の区分 ········· 127

（2）法人税法の少額の減価償却資産 ········· 127

（3）一括償却資産とは ········· 128

（4）減価償却資産を取得したときのまとめ ········· 129

【演習】別表16（8）を作成してみよう ········· 130

（5）30万円未満の少額減価償却資産 ········· 134

【演習】別表16（7）を作成してみよう ········· 137

8．税金の処理をマスターしよう ········· 141

（1）会社の負担する代表的な税金 ········· 141

（2）税金の会計処理と法人税法の取扱い ········· 141

（3）法人税と住民税の申告 ········· 143

（4）法人税と住民税の別表4の調整 ········· 144

（5）事業税の事業活動とは ········· 146

（6）事業税の申告 ………………………………………………………… 147

（7）事業税の損金となるタイミング ………………………………… 147

（8）地方法人特別税と特別法人事業税について ………………… 149

（9）地方法人税について ……………………………………………… 151

（10）復興特別税について ……………………………………………… 151

（11）税制改正と税率一覧 ……………………………………………… 153

【演習】別表5（2）を作成してみよう ……………………………… 156

9. 所得税額控除の処理をマスターしよう ………………………… 173

（1）源泉所得税及び復興特別所得税の仕組み …………………… 173

（2）源泉税の税率 ………………………………………………………… 174

（3）源泉税の法人税法の取扱い ……………………………………… 177

（4）所得税額控除の算出 ……………………………………………… 177

【演習】別表6（1）を作成してみよう ……………………………… 180

10. 寄附金の処理をマスターしよう …………………………………… 186

（1）法人税法の寄附金とは …………………………………………… 186

（2）どのような取引に注意が必要か ……………………………… 187

（3）法人税法の寄附金の取扱い ……………………………………… 188

【演習】寄附金の別表14（2）を作成してみよう ……………… 192

11. 法人税を計算してみよう ……………………………………………… 198

（1）法人税の計算の仕組み …………………………………………… 198

【演習】別表1を作成してみよう ……………………………………… 202

12. 別表を完成させよう …………………………………………………… 214

（1）未払法人税等と法人税法の取扱い …………………………… 214

【演習】別表を完成させよう ……………………………………………… 215

Ⅳ 欠損金と還付金

1. 欠損金の処理をマスターしよう ……………………………………… 222

（1）欠損金とは ……………………………………………………………… 222

（2）欠損金の法人税法の取扱い ……………………………………… 222

【演習】別表7（1）を作成してみよう ……………………………… 226

2．還付となるときの処理をマスターしよう ……………………………………231

【演習】還付となるときの別表を作成してみよう ………………………………232

資料 ………………………………………………………………………………241

付録（給与等の支給額が増加した場合の法人税額の特別控除（賃上げ促進税制））………263

※本書の内容は、令和6年9月1日現在の法令等に基づいています。

Ⅰ

申告書を作成するための基礎知識

① 法人税を理解しよう

●（1）法人税は会社が負担する国税

　税金には、誰が課税をするのかにより、2つに分類することができます。

　国が課す税金のことを**国税**といい、都道府県や市町村が課す税金のことを**地方税**といいます。

　代表的な国税には、所得税、法人税、相続税、消費税などがあります。

　一方、代表的な地方税には、住民税、事業税、固定資産税などがあります。

　また、税金は、税金の金額を申告する人と税金を負担する人が必ずしも同じとは限りません。

　申告する人と負担する人が同じである税金のことを**直接税**といい、申告する人と負担する人が異なる税金のことを**間接税**といいます。

　法人税や所得税は、会社や個人が税金の申告を行い、税金を負担する直接税です。

　これに対し、消費税や酒税は、事業者が税金の申告を行い、最終的な消費者が税金を負担する間接税となります。

税金を課す者		直接税 （税金を負担する人＝納める人）	間接税 （税金を負担する人≠納める人）
国	国税	● 法人税 ● 所得税 ● 相続税、贈与税 など	● 消費税 ● 酒税 など
地方公共団体 ● 都道府県 ● 市町村	地方税	● 住民税 ● 事業税 ● 固定資産税 など	● ゴルフ場利用税 ● 地方消費税 など

●（2）法、施行令、施行規則、通達とは

　会社は、なぜ法人税を申告し、納めなければならないのか。

　当たり前のようですが、**法人税法**という法律があるからです。

ですから、法人税の計算に関することがらは、法人税法の中で決められています。

ところが、細かい計算方法などは法人税法自体にはなく、**法人税法施行令**や**法人税法施行規則**に委ねられています。

法人税法施行令は、いわゆる**政令**といい、内閣によってその内容が決められます。

法人税法施行規則は、いわゆる**省令**といい、財務大臣によってその内容が決められます。

法人税法、政令及び省令は、法律に基づくものですから、守らなければならない決まり事となります。

ところが、実際には、会社の取引は多岐にわたり、また、特殊なケースも存在します。

これらの事柄に関する取扱いを、すべて法律で網羅することはできません。

そのため、**通達**と呼ばれるものがあります。

通達は、上級官庁が下級官庁に対して、実務上の取扱いを統一させるために指示をする文書をいいます。

法人税の場合には、法人税取扱通達として、**基本通達**と**個別通達**があります。

税務署の職員は、法律でカバーできない納税者から問合せや税務調査などでは、これらの通達をベースに判断をしています。

（3）法人税は何に対してかかるのか

法人税は、会社のモウケに対してかかる税金です。

モウケで頭に思い浮かぶのは、損益計算書（P/L）の**当期純利益**です。

ところが、法人税の世界でいうモウケは、当期純利益とはちょっと違います。

法人税の世界では、モウケのことを**所得**といいます。

なぜ会計と法人税法ではモウケを示す言葉が異なるのでしょうか。

（4）会計と法人税法の目的の違い

会社の決算書は、一般的に、企業会計原則という会計のルールに則って作成することになっています。

企業会計原則では、次の2つを目的としています。

- **期末の財政状態を正しく表すこと**
- **一事業年度の経営成績を正しく把握すること**

ところが実際には、会社の実情によって会計処理が異なることもあり、また、必ずしも決算書が企業会計原則どおりに作成されるとは限りません。

すると、会社間で利益を測定するモノサシが異なってしまいます。

このままの利益をベースに法人税を計算すると、納税者である会社間で不公平が生じます。

そこで、法人税法では、**課税の公平**を図るため、法人税法独自のモウケを測定するモノサシを取り決めているのです。

ですから、当期純利益と所得には、自ずと違いが出てくるのです。

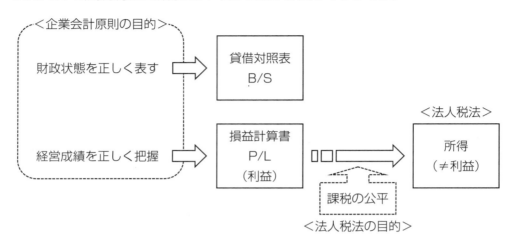

● (5)「利益」と「所得」

会計と法人税法のモウケの計算をみてみましょう。

会計の利益は、

| 収益 － 費用 ＝ 利益 |

です。

これに対し、法人税法の所得は、

| 益金（えききん） － 損金（そんきん） ＝ 所得 |

となります。

法人税法では、収益に対応する言葉を**益金**といい、費用に対応する言葉を**損金**といいます。

収益と益金、費用と損金が同じであれば、利益と所得は一致します。

ところが、前述したように、収益と益金、費用と損金は、それぞれ異なる考え方なのです。

● (6) どのようにして所得を導き出すか

では、どのように所得を計算すれば良いのでしょうか。

所得は、益金から損金を差し引いたものです。

ところが、所得を計算する場合には、益金と損金を最初から積み上げて計算することはしません。

＜図１＞をご覧ください。

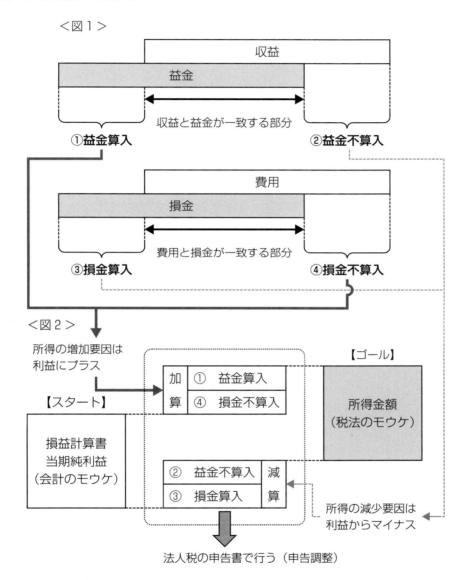

収益と益金、費用と損金が一致する部分については、会計も法人税法も同じです。

つまり、損益計算書の**当期純利益に**、会計と法人税法でそれぞれズレている①から④の**調整を加える**と**所得を導き出す**ことができるのです。＜図２＞

① 収益ではないが、益金になるもの　　→　**益金算入**
② 収益ではあるが、益金にならないもの　→　**益金不算入**
③ 費用ではないが、損金になるもの　　→　**損金算入**

④ 費用ではあるが、損金にならないもの　→　**損金不算入**

この考え方は、法人税の申告書を作成する上で、とても重要です。

(7) 別表とは

法人税の申告書に関する書面は約300種類あり、**別表**（べっぴょう）と呼ばれています。

実務上、会社は全種類の別表を記載するのではなく、その会社に必要な別表だけをピックアップして記載し、申告書を作成すれば良いのです。

その中でも、すべての会社にとって必要な中心となる別表が3つあります。

- 別表 1 　……**法人税を計算**
- 別表 4 　……**所得を計算**
- 別表 5（1）（べっぴょうごのいち）……**純資産を計算**

上記以外の別表は、これら3つの別表を作成するための明細書の役割を果たします。

決算書と申告書の関係を概観してみると下図のようになります。

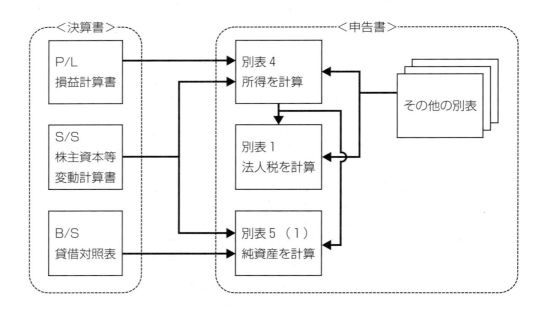

(8) 必要な別表を探すには

別表には、1枚の書面で1つのテーマの情報を凝縮して記載します。

数ある別表の中から、必要な別表を探すためには、**別表番号**と**タイトル**からピックアップすると便利です。

では、別表番号とタイトルの位置を確認してみましょう。

別表番号は右上、タイトルは左上に記載されています。

これは別表1を除いて、すべての別表に共通しています。

慣れてくると別表番号から何を行う別表なのか分かるようになってきます。

また、別表番号の下に「令六・四・一以後終了事業年度分」と記載されています。

これは、税制改正によって別表がバージョンアップするためです。古い別表は、期限が切れていますから、くれぐれも使用しないようにしましょう。

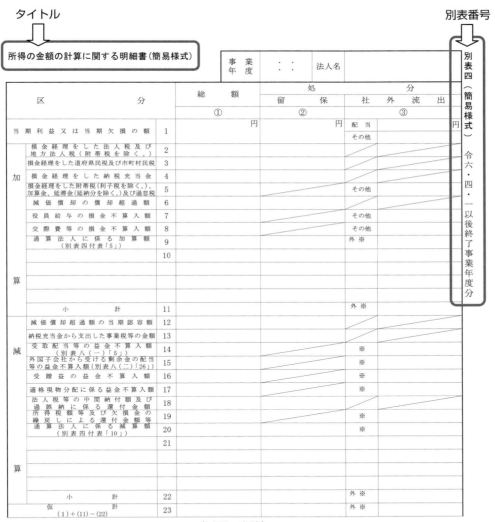

～（以下、省略）～

② 別表4の構造をみてみよう

別表4は、会社のモウケである所得を計算する表です。

前述したように、所得は、損益計算書の当期純利益にプラス（加算）するもの、マイナス（減算）するものを調整して計算されます。

別表4において、加算するもの及び減算するものを**申告調整**といいます。

2．別表4の構造をみてみよう

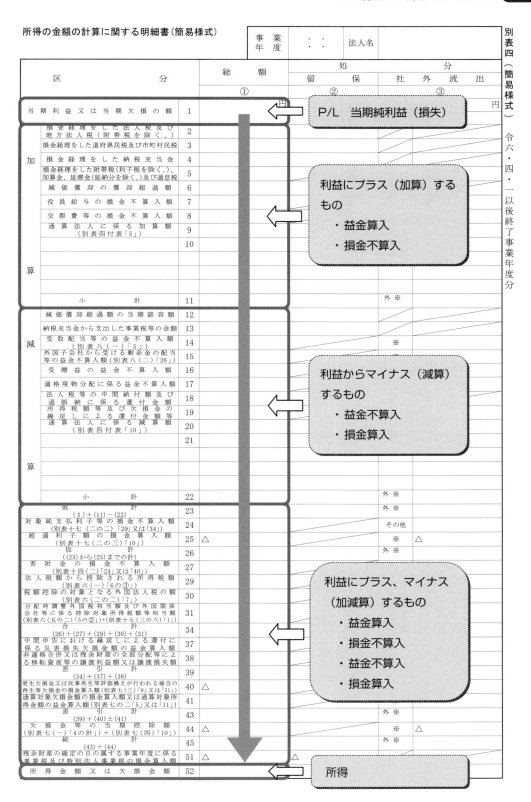

3 別表5（1）の構造をみてみよう

　別表5（1）は、会社の純資産を把握する表です。

　ここでいう純資産とは、貸借対照表の純資産ではなく、法人税法の純資産をいいます。

　貸借対照表の純資産の中身は、主に、次の3つで構成されています。

- 資本金
- 資本剰余金
- 利益剰余金

　これに対し、法人税法の純資産の中身は、次の2つです。

- 資本金等の額
- 利益積立金額

　株主からの払い込み金額である**資本金**と**資本剰余金**に対応するものは、**資本金等の額**といいます。

　また、会社の利益の蓄積である**利益剰余金**に対応するものは、**利益積立金額**といいます。

　利益と所得が異なるのと同様に、会計の純資産と法人税法の純資産は、必ずしも一致しません。

　主な不一致の原因として、資本金等の額の場合、

- 合併、分割、株式交換など企業再編があった場合
- 欠損てん補を行った場合
- 自己株式を取得した場合

などの特殊なケースです。

　一方、利益積立金額の不一致の主な原因は、利益と所得のズレです。

　利益剰余金は、会社の利益の蓄積であるのに対し、利益積立金額は、会社の所得の蓄積なのです。

　このズレについては、**4．留保と社外流出**で詳しく説明します。

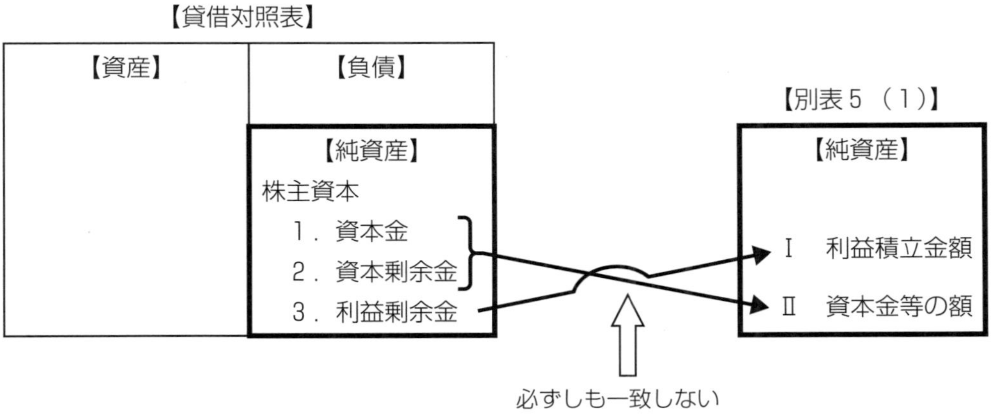

3．別表5（1）の構造をみてみよう　　11

【貸借対照表】

【資産】	【負債】
	【純資産】
	株主資本
	1．資本金
	2．資本剰余金
	3．利益剰余金

【別表5（1）】

| 【純資産】 |
| Ⅰ　利益積立金額 |
| Ⅱ　資本金等の額 |

必ずしも一致しない

　それでは、別表5（1）の構造をみてみましょう。

　上から

- ・Ⅰ　利益積立金額の計算に関する明細書
- ・Ⅱ　資本金等の額の計算に関する明細書

となっています。貸借対照表の表示と順番が逆であることに特別な意味はありません。

　かつて、別表5（1）には、「Ⅰ　利益積立金額の計算に関する明細書」しか記載しませんでした。

　ところが、企業再編税制など新しい税制が導入され、会社の資本金等の額も把握する必要があることから、平成13年に新しく追加されました。

　別表5（1）は、左から、「科目名」「①期首残高」「②期中の減少」「③期中の増加」「④期末残高」となっています。

I 申告書を作成するための基礎知識

利益積立金額及び資本金等の額の計算に関する明細書

事業年度	： ：	法人名	

別表五(一)　令六・四・一以後終了事業年度分

I　利益積立金額の計算に関する明細書

区　分		期首現在利益積立金額 ①	当期の増減 減 ②	当期の増減 増 ③	差引翌期首現在利益積立金額 ①－②＋③ ④
利　益　準　備　金	1	円	円	円	円
積　立　金	2				
	3				
	4				
	5				
	6				
	7				
	8				
	9				
科目名	10	**期首残高**	**期中減少**	**期中増加**	**期末残高**
	11				
	12		△	＋	
	13				
	14				
	15				
	16				
	17				
	18				
	19				
	20				
	21				
	22				
	23				
	24				
繰越損益金（損は赤）	25				
納　税　充　当　金	26				
未納法人税等（各事業年度の所得に対するものに限る。）	未納法人税及び未納地方法人税（附帯税を除く。）	27	△	△	中間　△ 確定　△	△
	未払通算税効果額（附帯税の額に係る部分の金額を除く。）	28			中間 確定	
	未納道府県民税（均等割を含む。）	29	△	△	中間　△ 確定　△	△
	未納市町村民税（均等割を含む。）	30	△	△	中間　△ 確定　△	△
差　引　合　計　額	31				

II　資本金等の額の計算に関する明細書

区　分		期首現在資本金等の額 ①	当期の増減 減 ②	当期の増減 増 ③	差引翌期首現在資本金等の額 ①－②＋③ ④
資本金又は出資金	32	**期首残高** 円	**期中減少** 円	**期中増加** 円	**期末残高** 円
資　本　準　備　金	33				
科目名	34				
	35		△	＋	
差　引　合　計　額	36				

4 留保と社外流出

（1）別表4の2つの役割

別表4には、所得金額を計算するだけでなく、利益積立金額を把握するための役割もあります。

貸借対照表の利益剰余金が会社の利益の蓄積であるのに対し、法人税法の利益積立金は、会社の所得の蓄積です。

再び、別表4をみてみましょう。

別表4では、会社の所得を構成するもの（総額①）を、（留保②）と（社外流出③）に振り分けています。

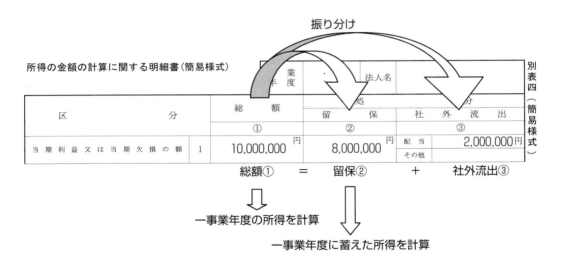

会社の中に、所得を蓄えることを**留保**といいます。

当期利益「1」の欄でみてみましょう。

たとえば、会計の当期純利益が1,000万円であり、期中に株主に配当金200万円を支払った場合には、会社に蓄積された所得（留保）は、差額の800万円となります。

● （2）留保と社外流出

別表４の「２」から「51」までは、会計と法人税法のモウケの違いを調整するものです。

この調整した内容について、

- 資産と負債の帳簿価額に会計と法人税法の**認識の違いがある**場合　→　**留保**
- 資産と負債の帳簿価額に会計と法人税法の**認識の違いがない**場合　→　**社外流出**

に振り分けます。

留保のケースをみてみましょう。

たとえば、当期に売掛金10万円が回収不能となりました。

帳簿上は、

> （借方）貸倒損失　　　　　　　100,000 ／（貸方）売 掛 金　　　　　　100,000

と仕訳を行いました。

ところが、法人税法では、まだ、貸倒損失が損金となるための条件が整っていません。

そのため、別表４で加算（貸倒損失否認100,000）の申告調整を行います。

条件さえ整えば法人税法でも損金となりますので、帳簿上で減らした売掛金は、法人税法では、当期末に、まだ残っていることになります。

つまり、売掛金の帳簿価額が会計と法人税法で異なります。

翌期になり、損金となるための条件が整いました。

帳簿上は、すでに売掛金を減らしていますから、なんら仕訳はありません。

これに対し、法人税法では、残っている売掛金を減らすために、別表４で減算（貸倒損失認容100,000）の申告調整を行います。

そして、翌期末の売掛金の帳簿価額が会計と法人税法で一致することになります。

このように、会計と法人税法の取扱いの違いが**将来、解消されるものが「留保」**となります。

次に、社外流出のケースをみてみましょう。

たとえば、当期に役員賞与20万円を支給しました。

帳簿上は、

> （借方）役員賞与　　　　　　　200,000 ／（貸方）預 　　金　　　　　　200,000

と仕訳を行いました。

ところが、法人税法では、役員賞与は、原則、損金となりません。

そのため、別表４で加算（役員給与の損金不算入額200,000）の申告調整を行います。

帳簿上で減らした預金は、法人税法では、どうなるのでしょうか？

会計の費用である役員賞与は、法人税法では損金にしないこととしています。

この取扱いの違いは、将来においても解消されることはありません。

ですから、法人税法でも預金は減少したままの状態です。

つまり、預金の帳簿価額が、会計と法人税法で一致しています。

このように、会計と法人税法の取扱いの違いが**永久に解消されないもの**が「**社外流出**」となります。

●（3）留保から利益積立金額へ

申告調整をした留保の金額、つまり、資産と負債の帳簿価額の認識の違いは、法人税法では翌期へ繰り越されていくことがお分かりいただけたと思います。

その帳簿価額の認識の違いを純資産を計算するための別表5（1）の利益積立金額で把握をします。

そのため、別表4の留保の金額は、別表5（1）へ転記されます。

16　Ⅰ　申告書を作成するための基礎知識

所得の金額の計算に関する明細書（簡易様式）

| 事 業 年 度 | ：　　： | 法人名 | | 別表四（簡易様式） |

区　　　　分		総　　額	処　　　　　　分		
			留　　保	社 外 流 出	
		①	②	③	
当 期 利 益 又 は 当 期 欠 損 の 額	1	10,000,000 円	8,000,000 円	配当	2,000,000 円
				その他	
加	損 金 経 理 を し た 法 人 税 及 び 地 方 法 人 税（附 帯 税 を 除 く。）	2			
	損金経理をした道府県民税及び市町村民税	3			
	損 金 経 理 を し た 納 税 充 当 金	4			
	損金経理をした附帯税（利子税を除く。）、加算金、延滞金（延納分を除く。）及び過怠税	5		その他	
	減 価 償 却 の 償 却 超 過 額	6			
	役 員 給 与 の 損 金 不 算 入 額	7	200,000	その他	200,000
	交 際 費 等 の 損 金 不 算 入 額	8		その他	
	通 算 法 人 に 係 る 加 算 額（別表四付表「5」）	9		外 ※	
算	貸倒損失否認	10	100,000	100,000	
	小　　　　　計	11		外 ※	
減	減 価 償 却 超 過 額 の 当 期 認 容 額	12			
	納 税 充 当 金 か ら 支 出 し た 事 業 税 等 の 金 額	13			
	受 取 配 当 等 の 益 金 不 算 入 額（別表八（一）「5」）	14		※	
	外 国 子 会 社 か ら 受 け る 剰 余 金 の 配 当 等 の 益 金 不 算 入 額（別表八（二）「26」）	15		※	
	受 贈 益 の 益 金 不 算 入 額	16		※	
	適 格 現 物 分 配 に 係 る 益 金 不 算 入 額	17		※	
	法 人 税 等 の 中 間 納 付 額 及 び 過 誤 納 に 係 る 還 付 金 額	18			
	所 得 税 額 等 及 び 欠 損 金 の 繰 戻 し に よ る 還 付 金 額 等	19		※	
	通 算 法 人 に 係 る 減 算 額（別表四付表「10」）	20		※	
		21			
算	小　　　　　計	22		外 ※	

令六・四・一以後終了事業年度分

資産・負債の帳簿価額の違い
別表5（1）へ転記

利益積立金額及び資本金等の額の計算に関する明細書

| 事 業 年 度 | ：　　： | 法人名 | | 別表五（一） |

Ⅰ　利 益 積 立 金 額 の 計 算 に 関 す る 明 細 書

区　　　分		期 首 現 在 利 益 積 立 金 額	当 期 の 増 減		差引翌期首現在利益積立金額 ①－②＋③
			減	増	
		①	②	③	④
利 益 準 備 金	1	円	円	円	円
積 立 金	2				
売掛金	3			100,000	100,000

令六・四・一以後

Ⅱ 企業グループと株主をおさえよう

① 企業グループをおさえよう

（1）グループ法人税制の考え方

　平成22年の税制改正において、新たにグループ法人税制が導入されました。

　従来、企業グループ間の取引であっても会社自体は別の人格ですから、会社は取引の相手がグループ企業かどうかに関係なく取引を認識し、所得を計算していました。

　ところが、近年の会社経営は、持株会社を中心とした企業グループ経営が一般的です。

　このとき企業グループ間の取引に対して法人税を課税してしまうと、円滑なグループ経営に支障をきたす恐れがあります。

　そこで新たにグループ法人税制が創設されました。

　この税制の基本的な考え方は、企業グループを一体として捉え、企業グループ間の特定の資産の移転については、法人税を課税しないというものです。

グループ法人税制導入前

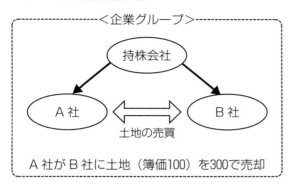

【A社の仕訳】
現金　　　300　／　土地　　　100
　　　　　　　　　売却益　　　200
　　　　　　　　　↓
益金として法人税を課税

【B社の仕訳】
土地　　　300　／　現金　　　300

グループ法人税制導入後

　企業グループ間の資産の移転については、企業グループを一体として捉え、課税を行う。

→企業グループ間の特定の取引については、益金、損金を認識しない。

【A社の仕訳】
現金　　　300　／　土地　　　100
　　　　　　　　　売却益　　　200
　　　　　　　　　↓
B社が他に売却するまで、
法人税を課税しない（繰延べ）

【B社の仕訳】
土地　　　300　／　現金　　　300

●（２）企業グループとは

グループ法人税制の創設により、企業グループ間の取引には注意を払っておかなければなりません。

また、自社がどのような企業グループに属するのかによって、法人税法の取扱いがいろいろな場面で異なってきます。

ですから、まず、自社の企業グループをキチンと把握することが、とても重要です。

法人税法では、企業グループについて、一般的なイメージよりも、もっと限定して捉えています。

では、企業グループとは、どのようなグループの範囲のことをいうのでしょうか。

ズバリ、**株式による100％の支配関係がある法人グループ**です。

株式を**直接所有**しているだけでなく、**間接的に所有**しているものも含まれます。

100％の支配関係のことを**完全支配関係**といい、大きく２つの関係から成り立っています。

① 当事者間の完全支配関係（いわゆる親会社と子会社、孫会社の関係）

② 当事者間の完全支配関係がある法人相互の関係（いわゆる兄弟会社の関係）

このように、完全支配関係は、自社の株主名簿や所有している株式の情報だけでは、必ずしも正確に把握することはできません。

【参考】

（完全支配関係）

> 一の者が法人の発行済株式等の全部を直接若しくは間接に保有する関係（当事者間の完全支配関係）又は一の者との間に当事者間の完全支配関係がある法人相互の関係をいいます。

（100％の判定）

> 一の者が発行済株式の全部を保有するかどうかにあたっては、次の株式を除いて判定します。
>
> ㈡ 自己株式
>
> ㈥ 民法に規定する組合契約による従業員持株会が保有する株式及びストックオプションの行使により役員又は使用人が取得した株式の合計の合計数が、発行済株式数（自己株式を除く）のうちに占める割合の５％未満である場合のその株式

❶ **当事者間の完全支配関係**

　当事者間の完全支配関係は、いわゆる親会社、子会社、孫会社の関係のことをいいます。下図をご覧下さい。

　親は子１の株式を100％所有しています。そして、親が100％保有する子１を通じて孫の株式を100％所有しています。また、親は子２の株式を80％しか所有していませんが、親が100％保有する子１を通じて20％を所有しています。

　したがって、点線で囲まれている関係は、当事者間の完全支配関係となります。

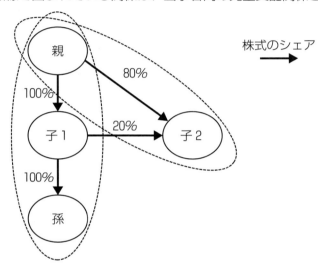

❷ **当事者間の完全支配関係がある法人相互の関係**

　当事者間の完全支配関係がある法人相互の関係は、いわゆる兄弟会社のことをいいます。

　したがって、下図の点線で囲まれている関係は、当事者間の完全支配関係がある法人相互の関係となります。

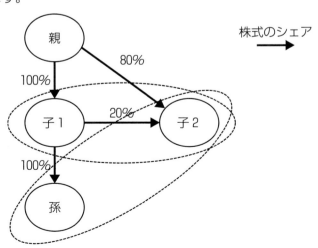

❶と❷の結果、親、子1、子2、孫は企業グループとなり、企業グループ間の特定の取引は、グループ法人税制の対象となります。

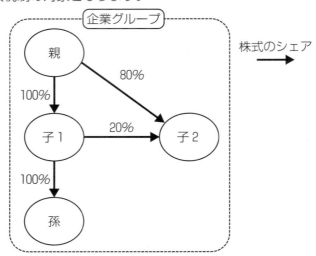

コラム グループ通算制度

　令和2年度税制改正において、連結納税制度を見直し、令和4年4月1日以後に開始する事業年度からグループ通算制度に移行しました。
　グループ通算制度は、納税者の事務負担軽減等の観点から連結納税制度を簡素化した制度で、企業グループ間の損益通算等の調整等を行い、企業グループの各法人が個別に法人税額の計算及び申告する制度です。
　グループ法人税制と名称は似ていますが、全く異なる制度です。
　そして、グループ通算制度の適用開始に伴い別表の改訂も行われ、この制度を適用している法人を通算法人といいます。

1．企業グループをおさえよう

【確定申告書に添付する出資関係図の例】（出所：国税庁ウェブサイトより抜粋）
　完全支配関係がある企業グループに属する会社は、下図のような**出資関係図**を法人税の**確定申告書に添付**しなければならないこととなっています。

≪出資関係図の作成例≫

(1) 出資関係を系統的に記載した図

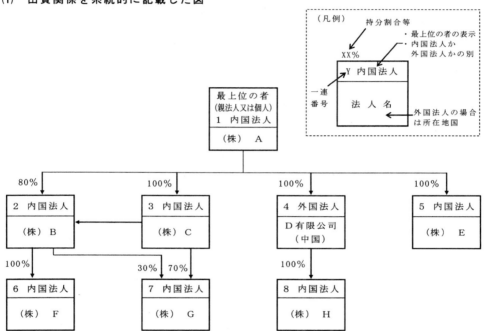

（注）　原則として、グループ内の最上位の者及びその最上位の者との間に完全支配関係がある全ての法人を記載してください。

(2) グループ一覧

令和XX年X月XX日現在

一連番号	所轄税務署名	法人名	納税地	代表者氏名	事業種目	資本金等（千円）	決算期	備考
1	麹町	㈱A	千代田区大手町1-3-3	a	鉄鋼	314,158,750	3.31	
2	仙台北	㈱B	仙台市青葉区本町3-3-1	b	機械修理	34,150,000	6.30	

（注）1　一連番号は、上記(1)の出資関係を系統的に記載した図の一連番号に合わせて付番してください。
　　　2　最上位の者が個人である場合には、その氏名を「法人名」欄に記載してください。

内国法人とは、**日本国内に本店がある法人**をいいます。つまり、日本の法律に基づいて設立した法人は、内国法人となります。**外国法人**とは、**内国法人以外の法人**のことをいいます。

完全支配関係における一の者

　完全支配関係の定義における一の者とは、法人だけでなく、一人の個人とその個人の親族等を含めています。

　ですから、個人A及びその親族が100％所有しているX社、Y社、そしてこれらの会社に100％所有されているZ社の関係は、完全支配関係となります。

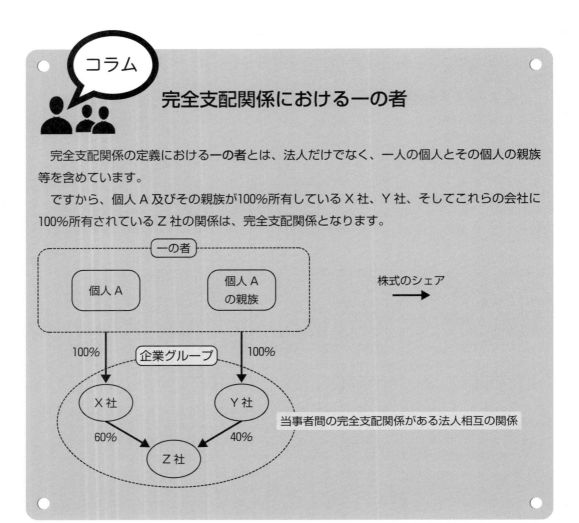

演習 出資関係図をみてみよう

企業グループを把握するための別表はありません。

国税庁が公表している p.23 の出資関係図の作成例をもとに、会社が適宜作成します。

【会社の概要】

　　会社名　　　：ステップアップ株式会社（当社）

　　本店所在地　：東京都千代田区大手町

　　事業年度　　：自　令和6年4月1日　至　令和7年3月31日

　　業種　　　　：電子機器の卸売業

　　資本金　　　：5,000万円

　　従業員数　　：20人

次の系統図から完全支配関係のある企業グループを考えてみましょう。

【会社の系統図】

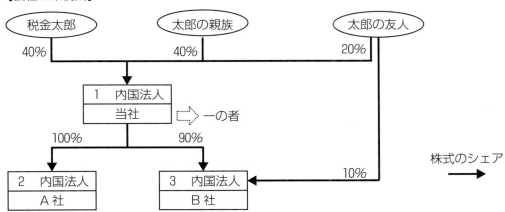

完全支配関係のある企業グループは、当社と当社が株式の100％を所有しているA社です。

B社は、太郎の友人が株式の10％を所有していますので、当社と完全支配関係はありません。

その結果、グループ一覧は下記のとおりとなり、当社とA社の特定の取引については、グループ法人税制の対象となります。

<グループ一覧>　　　　　　　　　　　　　　　　　　　　　　　　　　　令和7年3月31日現在

一連番号	所轄税務署名	法人名	納税地	代表者氏名	事業種目	資本金等（千円）	決算期	備考
1	麹町	ステップアップ（株）	千代田区大手町	税金太郎	電子機器の卸売	50,000	3.31	
2	新宿	A社（株）	新宿区西新宿	税金孝一	不動産賃貸	30,000	3.31	

② 会社の株主をおさえよう

●（１）同族会社と非同族会社

法人税法では、会社の株主構成により、会社を次の2つに区分しています。

- 同族会社
- 非同族会社

同族会社とは、会社の**上位3位までの株主グループ**が持つ次のいずれかの割合の合計が**50%超**である会社のことをいいます。

① 持株割合（会社の所有する自己株式を除きます）

② 議決権割合

③ 社員割合

そして、同族会社に該当しない会社のことを**非同族会社**といいます。

種類株式を発行していない株式会社では、①の割合のみとなります。

① 持株割合

会社の発行済株式総数のうち、上位3位までの株主グループの所有する株式数の占める割合のことをいいます。

発行済株式総数からは会社の所有する自己株式を除きます。また、株主グループから自社は除かれます。

② 議決権割合

株主総会の決議において行使することのできる次のいずれかの議決権のうち、上位3位までの株主グループの持つ議決権の占める割合のことをいいます。

イ 事業の譲渡、解散、合併、分割、株式交換、株式移転又は現物出資に関する議決権

ロ 役員の選任、解任に関する議決権

ハ 役員の報酬、賞与などに関する議決権

ニ 剰余金の配当などに関する議決権

③ 社員割合

合名会社、合資会社又は合同会社の社員のうち、株主グループに属する社員（業務執行社員を定めた場合には、業務執行社員）の占める割合のことをいいます。

●（2）株主グループとは

　同族会社かどうかを判定する株主グループは、株主の1人及びその人の親族やこれらの人が支配している会社をグルーピングし、1つの株主グループとして捉えます。

　具体的には、

- 株主の1人（個人又は法人）
- その株主と特殊関係のある個人
- その株主と特殊関係のある法人

が1つの株主グループとなります。

株主グループ

株主の1人（個人又は法人）

特殊関係のある個人

① その株主の親族（配偶者、6親等以内の血族、3親等以内の姻族）
② その株主と内縁の関係にある者
③ その個人株主の使用人
④ ①から③以外の者で、個人株主から受ける金銭等によって生計を維持しているもの
⑤ ②から④の者と生計を一にするこれらの者の親族

特殊関係のある法人

① その株主1人（個人株主の場合は、その1人及び特殊関係のある個人。以下同じ）によって支配されている会社
② その株主1人と①の会社によって支配されている会社
③ その株主1人と①及び②の会社によって支配されている会社

（注1）支配されているとは、次のいずれかの割合が50％超の状況をいいます。
- 持株割合（自己株式を除きます）
- 議決権割合（（1）②と同様です）
- 社員割合

（注2）①、②、③の会社は、相互に特殊関係のある法人とみなされます。

● （３）同族会社にはキビシイ

同族会社は、いわゆる一族に支配された会社や特定の法人に支配された会社のことをイメージしていただけたかと思います。

一般的に、同族会社では、

- 大株主＝社長及びその一族又は関連会社

となるケースがほとんどです。

このような会社の所有と経営が一体となるときには、会社の経営について、必ずしも、適切な取引が行われるとは限りません。

そこで、法人税法では、同族会社について、

- 行為計算の否認
- みなし役員

などの特別な取扱いを設けています。

行為計算の否認は、会社の行った取引などについて、不当に法人税が少なくなる場合には、その取引などを認めないというものです。

また、みなし役員は、大株主グループに属する特定の株主がその会社の従業員である場合に、その者が取締役や監査役など会社法上の役員に該当しなくても、役員とみなすことによって、給与や賞与などが損金となる要件に厳しい制限を設けています。

● （４）特定同族会社とは

特定同族会社とは、

- 被支配会社のうち、被支配会社でない法人株主を除いて判定しても、被支配会社となる会社

のことをいいます。

被支配会社とは、一の株主グループの次のいずれかの割合が50％を超える会社のことをいいます。

- ① 持株割合（会社の所有する自己株式を除きます）
- ② 議決権割合
- ③ 社員割合

この①、②、③の割合は、同族会社の判定のときの割合と同様です。

つまり、同族会社のうち、被支配会社でない法人株主を除いても、なお、特定の一株主グループに50％超の割合を所有されている会社のことです。

しかしながら、平成19年４月１日以後に開始する事業年度については、期末の資本金が

１億円以下の会社は、上記の割合にかかわらず、特定同族会社から除かれています。

　ただし、期末の資本金が１億円以下であっても、次に掲げる法人は、上記の割合により、特定同族会社の判定を行います。

　㈠　大法人による完全支配関係がある法人
　㈡　完全支配関係がある複数の大法人に株式の全部を保有されている法人
　　（注）大法人とは、資本金が５億円以上の法人等のことをいいます。

【参考】

㈠　大法人による完全支配関係がある法人の例

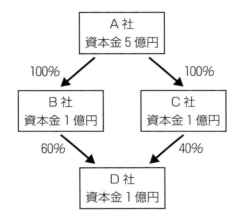

　Ｂ社、Ｃ社、Ｄ社はいずれも大法人（Ａ社）による完全支配関係がある法人に該当します。

㈡　完全支配関係がある複数の大法人に株式の全部を保有されている法人の例

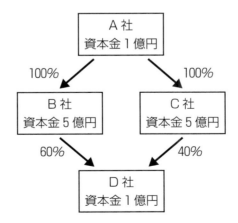

　Ｄ社は、完全支配関係がある複数の大法人（Ｂ社とＣ社）に株式の全部を保有されている法人に該当します。

コラム 被支配会社でない法人の子会社又は孫会社は？？？

特定同族会社を判定するときには、被支配会社でない法人株主を除いて判定を行います。

たとえば、被支配会社でないＡ社がＢ社の株式を50％超所有していたとします。

Ｂ社は、Ａ社に50％超所有されていますので同族会社に該当します。しかしながら、Ａ社は被支配会社でない法人のため、Ｂ社は特定同族会社には該当しません。

また、Ｃ社もＢ社に50％超所有されていますので同族会社に該当します。しかしながら、Ｂ社は被支配会社でないＡ社の被支配会社であることから、Ｃ社も特定同族会社には該当しません。

つまり、被支配会社でない法人とは、被支配会社でない法人の子会社、孫会社などを含むものとして取り扱われます。

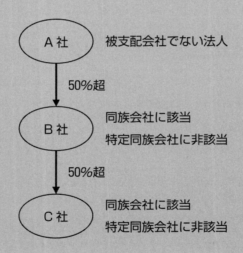

演習 別表2を作成してみよう

企業グループの把握と会社の株主の把握には、密接な関係があります。

企業グループの把握では、別表ではなく、出資関係図の作成例を参考に、会社が作成を行いました。

これに対し、会社の株主の把握には、**別表2**と呼ばれる表が用意されています。

【株主名簿】

当社の令和7年3月31日現在の株主名簿は、次のとおりです。

株主名	住　所	続　柄	株式数
税金太郎	東京都港区	本人	400株
税金花子	東京都港区	配偶者	50株
税金孝一	東京都世田谷区	父	300株
税金次郎	神奈川県横浜市	弟	50株
財務正一（太郎の友人）	大阪府大阪市	本人	200株
	合計		1,000株

Ⅱ　企業グループと株主をおさえよう

同族会社等の判定に関する明細書

事業年度	：　・	法人名	

別表二　令六・四・一以後終了事業年度分

同族会社の判定			
期末現在の発行済株式の総数又は出資の総額	1	内	
(19)と(21)の上位3順位の株式数又は出資の金額	2		
株式数等による判定 $\frac{(2)}{(1)}$	3		％
期末現在の議決権の総数	4	内	
(20)と(22)の上位3順位の議決権の数	5		
議決権の数による $\frac{(5)}{(4)}$	6		％
期末現在の社員の総数	7		
社員の3人以下及びこれらの同族関係者の合計人数のうち最も多い数	8		
社員の数による判定 $\frac{(8)}{(7)}$	9		％
同族会社の判定割合 ((3)、(6)又は(9)のうち最も高い割合)	10		％

Step 2 ⇨ 同族会社の判定

特定同族会社の判定		
(21)の上位1順位の株式数又は出資の金額	11	
株式数等による判定 $\frac{(11)}{(1)}$	12	％
(22)の上位1順位の議決権の数	13	
議決権の数による判定 $\frac{(13)}{(4)}$	14	％
(21)の社員の1人及びその同族関係者の合計人数のうち最も多い数	15	
社員の数による判定 $\frac{(15)}{(7)}$	16	％
特定同族会社の判定割合 ((12)、(14)又は(16)のうち最も高い割合)	17	％

Step 3 ⇨ 特定同族会社の判定

判定	特定同族会社 同族会社 非同族会社

Step 4 ⇨ 判定結果

判定基準となる株主等の株式数等の明細							
順位		判定基準となる株主（社員）及び同族関係者		判定基準となる株主等との続柄	株式数又は出資の金額等		
株式数等	議決権数	住所又は所在地	氏名又は法人名		被支配会社でない法人株主等		その他の株主等	
					株式数又は出資の金額 19	議決権の数 20	株式数又は出資の金額 21	議決権の数 22
				本　人				

Step 1 ⇨ 株主グループの把握

Step 1 ▶株主グループの把握

Step 1 では、上位3位までの株主グループを把握します。

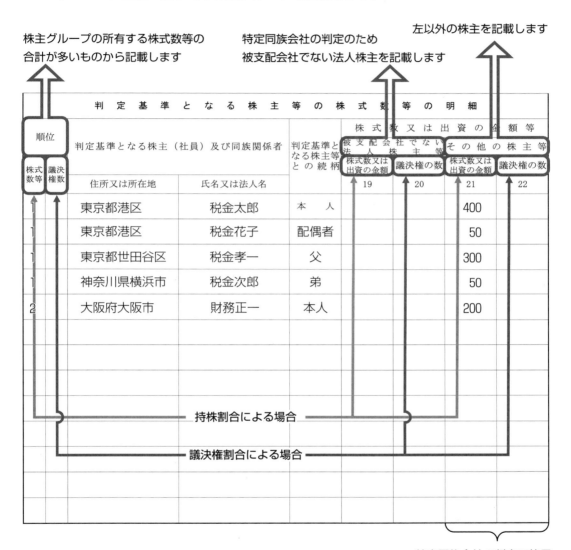

Step 2 ▶同族会社の判定

Step 2 では、上位3位の株主グループにより、同族会社の判定を行います。

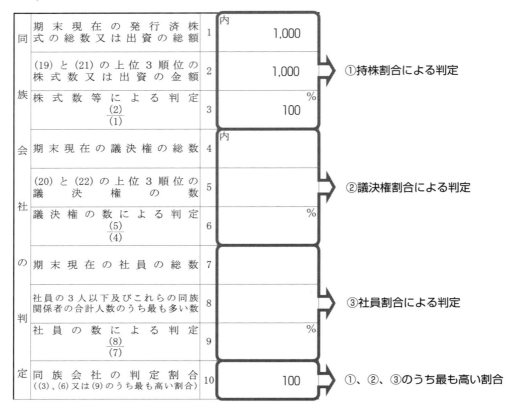

Step 3 ▶ 特定同族会社の判定

Step 3では、上位1位の株主グループにより、特定同族会社の判定を行います。

被支配会社でない法人株主は除いて判定を行います。

また、資本金が1億円以下（大法人による完全支配関係のあるものなどを除く）の会社は、割合に関係なく特定同族会社には該当しません。

設問では、資本金5,000万円、かつ、大法人による完全支配関係がありませんので、特定同族会社の判定の記載は不要です。

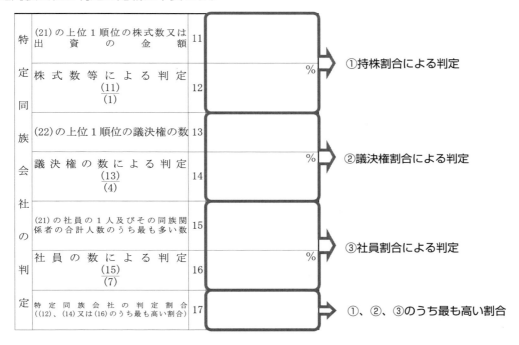

Step 4 ▶判定結果

Step 2 と Step 3 の判定結果を記載します。

判定の結果を「18」の該当する会社に○で囲みます。

【判定の流れのまとめ】

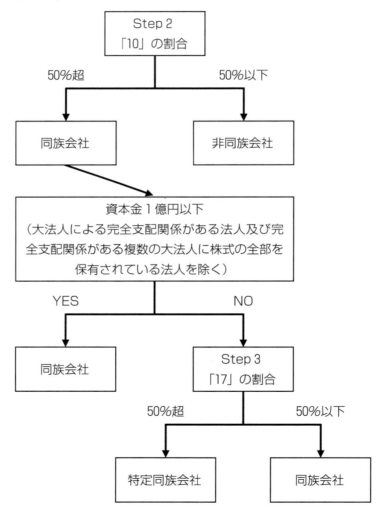

Ⅲ 法人税の申告書を作成してみよう

1 決算書から別表へ

●（1）申告書の作成の流れを確認しよう

申告書の最終的な目的は、法人税を算出することです。

法人税は、

| 所得　×　税率 |

により算出します。

法人税の税率は、原則、一律23.2%（＊）と決められています。

ですから、所得の金額を正しく把握することが、法人税を計算するためのポイントといえます。

では、もう一度、決算書と申告書の関係を確認しながら、別表作成の大きな流れをみてみましょう。

所得の金額は、別表4において、会計上の利益をスタートに申告調整を加え導き出しました。

その他の別表は、主に別表4で申告調整する金額の明細書のような役割を果たします。

別表4で申告調整した留保は、別表5（1）の増減に転記されます。

そして、所得の金額が算出できたら、別表1で法人税を計算します。

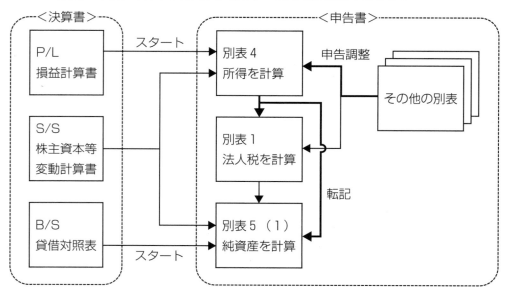

（＊）法人税率の推移

経済情勢の変化と共に、法人税の税率も税制改正により改正されています。

平成27年4月以降、デフレ脱却・日本経済再生に向けて企業活動を促進するために、税率が引き下げられています。

事業年度	平成27年4月1日以後開始事業年度	平成28年4月1日以後開始事業年度	平成30年4月1日以後開始事業年度
法人税の基本税率	23.9%	23.4%	23.2%

●（2）申告書を作成してみよう

それでは、設問を用いながら、具体的に法人税の申告書を作成していきましょう。

演習の決算書の貸借対照表（p.242資料）をご覧下さい。流動負債の「未払法人税等」が空欄になっています。

この演習で与えられた課題は、次の2つです。

- 決算書に計上する未払法人税等の金額を求めて、決算書を完成させること
- 法人税の申告書を完成させること

未払法人税等の金額は、法人税の計算ができなければ求めることができません。

ですから、まだ、空欄となっているのです。

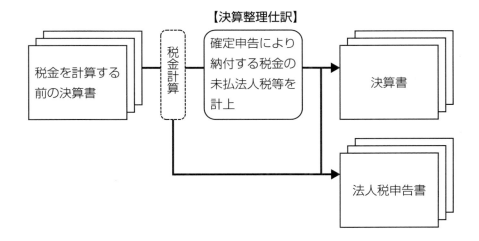

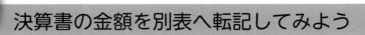

Step 1 ▶損益計算書「当期純利益」を別表4へ転記

損益計算書（p.243資料）の当期純利益を別表4へ転記します。

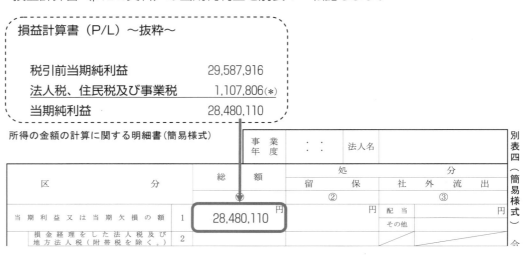

（＊）期中において中間申告により納付した法人税、住民税及び事業税と受取利息などに係る源泉所得税等の合計額です。これらの処理はp.156とp.180で行います。

Step 2 ▶株主資本等変動計算書「剰余金の配当」を別表4へ転記

株主資本等変動計算書（p.244資料）より、当期中に支払った配当金を別表4へ転記します。

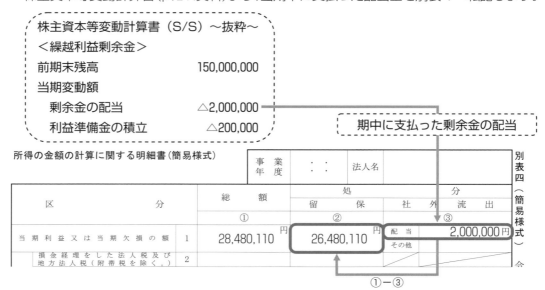

Step 3 ▶株主資本等変動計算書から別表5（1）へ転記

❶ 資本金・資本剰余金を別表5（1）へ転記

株主資本等変動計算書から資本金・資本剰余金の変動を別表5（1）へ転記します。設問では、期中に変動はありません。

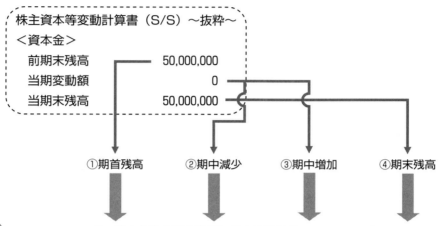

❷ 利益剰余金を別表5（1）へ転記

会計上の利益剰余金を別表5（1）へ転記します。

別表5（1）利益準備金の下にある「○○積立金」は、貸借対照表の純資産に計上している積立金のことです。

会社の状況に応じ、適宜「○○」の名称を記載します。

また、**繰越損益金（損は赤）**は、会計の**繰越利益剰余金**のことを意味します。

②減には、①期首残高と同額を記載し、一旦、繰越損益金をゼロとします。

③増と④当期末残高は、未払法人税等が未計上のため、まだ記載を行いません。

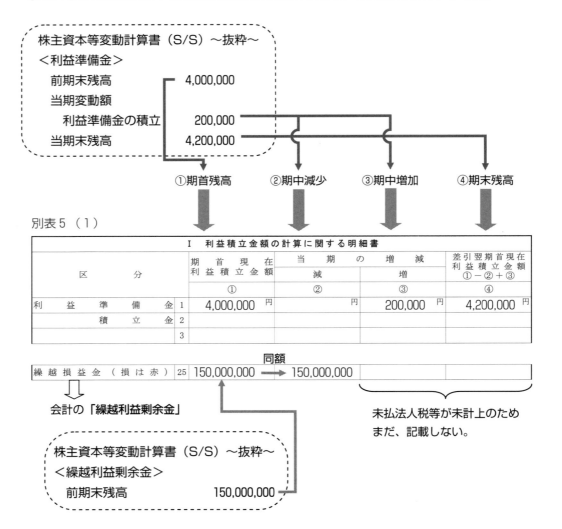

2 受取配当金の処理をマスターしよう

● (1) 受取配当金には税金がかからない

　会社が配当金を受け取った場合、会計では、P/L営業外収益の受取配当金として計上します。
　ところが、法人税法では、受取配当金には法人税を課税しないことにしています。
　この制度のことを受取配当等の益金不算入といいます。
　受取配当金は、会計では収益となりますが、法人税法では益金とならない、つまり、別表4で減算の申告調整が必要となります。

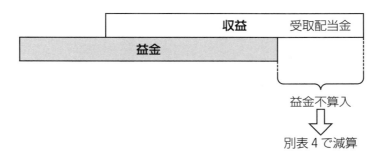

　では、なぜ益金不算入となるのでしょうか。
　それは、二重課税の問題があるからです。
　例えば、当社が甲社の株式を所有しており、甲社から配当金を受け取ったとします。
　甲社が株主に支払う配当金の原資は、甲社で法人税が課税された後の繰越利益です。
　甲社の仕訳でみると、次のとおりです。

　　（借方）繰越利益剰余金　　　　／（貸方）現　預　金
　（注）源泉所得税等は考慮していません。

　つまり、当社が受け取った配当金は、すでに甲社で法人税が課税されています。
　そのまま配当金を益金とすると、甲社と当社で2回にわたり法人税が課税されてしまいます。
　そのため、会社が受け取った配当金は、益金としないことにしているのです。
　ちなみに、受取利息には、二重課税という問題は起こりません。

なぜなら、利息を支払う会社では、支払利息は費用に計上され、法人税法でも損金として認められているからです。

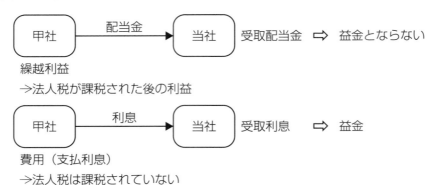

●（2）益金不算入となる配当金とならない配当金

受取配当金すべてが益金不算入の対象となるわけではありません。

対象となる配当金は、主に次のとおりです。

平成27年度税制改正により、対象となる配当金の範囲について見直しが行われ、投資商品、いわゆる財テク目的の証券投資信託の収益分配金は益金不算入の対象から除かれています。

【益金不算入の対象となる主な配当等の種類】

・剰余金の配当（資本剰余金の減少に伴うもの及び分割型分割によるものなどを除きます。）
　　　例：株式会社からの配当
・利益の配当（分割型分割によるものなどを除きます。）
　　　例：持分会社からの配当
・剰余金の分配
　　　例：協同組合等の出資分量分配金
・特定株式投資信託の収益の分配（外国株価指数連動型特定株式投資信託を除きます。）
　　　例：信託財産が株式のみである上場投資信託（ETF）

また、配当金という名目であっても益金不算入の対象とならないものは、主に次のとおりです。

いずれも、国内で生じる二重課税とは関係ない又は益金不算入とすべきではないものになります。

- 短期保有株式等に係る配当等（＊1）
- 外国法人からの配当金（＊2）
- 保険会社の契約者配当金

- 協同組合等の事業分量配当金
- 証券投資信託の収益分配金
- 公社債投資信託の収益分配金

（＊1）短期保有株式等に係る配当等

　　内国法人からの配当であっても、短期保有株式等に係る配当等は益金不算入の対象から除かれています。

　　短期保有株式等とは、配当等の支払いに係る基準日以前1ヶ月以内に取得し、かつ、基準日後2ヶ月以内に売却した株式のことをいいます。

　　取得した後、短期間で売却した株式の配当金については、益金不算入を認めないというわけです。

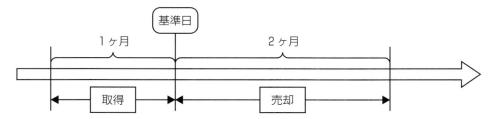

（＊2）外国法人からの配当金

　　外国法人からの配当金は、原則、益金不算入ではありません。

　　ところが、外国法人のうち外国子会社からの配当金は、益金不算入となります。

　　この制度は、平成21年の税制改正で新たに創設され、平成21年4月1日以後に開始する事業年度より、適用されています。

　　外国子会社からの配当金は、日本国内においては、二重課税となっていません。

　　ところが、グローバルな視点でみると、外国で課税されたものを日本で課税することは、国際的な二重課税が起きてしまいます。

　　この国際的な二重課税を回避するとともに、海外の子会社が稼いだ資金を日本に還流しやすくするために、外国子会社からの配当金は益金不算入としています。

　　この益金不算入の計算は、内国法人からの配当金などとは異なる別表で行います。

（3）益金不算入額の計算

❶ 株式の保有割合はどのくらいか

益金不算入となる金額は、株式の保有割合の区分に応じて異なります。

平成27年度税制改正により、その区分が改正されました。

保有割合	株式等の区分（＊）
100％	(イ) 完全子法人株式等
3分の1超	(ロ) 関連法人株式等
5％超3分の1以下	(ハ) その他の株式等
5％以下	(ニ) 非支配目的株式等

（＊）平成27年4月1日以後に開始する事業年度より適用

また、令和2年度税制改正では、連結納税制度を見直し、グループ通算制度へ移行することとされ、令和4年4月1日以後に開始する事業年度から適用されています。
　この改正に併せて、令和4年4月1日以後に開始する事業年度について、株式等の区分判定について見直され、関連法人株式等及び非支配目的株式等に該当するかどうかの判定は、配当を受ける内国法人との間に完全支配関係がある他の法人の有する株式等を含めて行います。

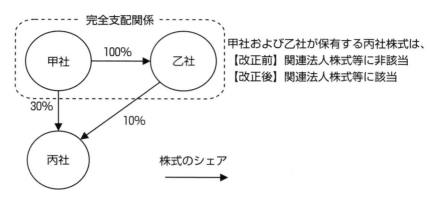

(イ) 完全子法人株式等

　完全子法人株式等とは、配当金の計算期間を通じて、完全支配関係があった内国法人の株式のことをいいます。

　完全支配関係については、Ⅱ1.(2)（p.20）の企業グループでみてきました。

　つまり、100％の支配関係にある日本国内に本店がある会社からの配当金です。

　ここで注意すべき点は、当社が直接100％所有していなくても、完全子法人株式等に該当する可能性もあるということです。

　完全支配関係は、株式を直接に所有している場合だけでなく、間接に所有している場合も含まれます。

　たとえば、当社が甲社の株式を100％所有し、乙社の株式を当社が60％、甲社が40％所有している会社のグループがあったとします。

　当社は甲社の株式を100％直接所有していますので、当社と甲社は完全支配関係のある企業グループとなります。

　乙社は、当社が直接所有している株式の割合は60％ですが、完全支配関係がある甲社を通じて間接的に40％所有しています。

　したがって、乙社も完全支配関係のある企業グループとなります。

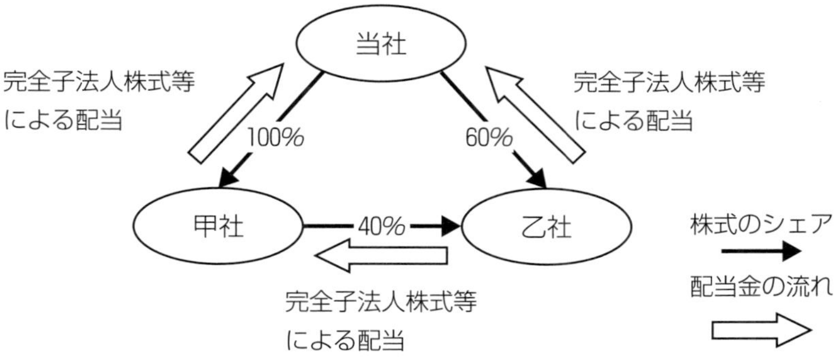

(ロ)　関連法人株式等

関連法人株式等とは、株式の３分の１超をその配当金の計算期間の初日から末日まで引き続き有している他の内国法人の株式等（完全子法人株式等を除きます。）をいいます。

令和４年４月１日以後開始事業年度より、保有割合（３分の１超）の判定が見直されました。

改正前：その内国法人が保有している株式の保有割合

改正後：その内国法人及び完全支配関係がある法人が保有する株式を含めた保有割合

関連法人株式等を判断する場合における計算期間とは、原則、その配当金の支払いを受ける直前に、その他の内国法人により支払われた配当金の支払いに係る基準日の翌日からその支払いを受ける配当金の基準日までの期間をいいます。

つまり、前回の配当金の基準日の翌日から今回の配当金の基準日までの期間となります。

ただし、前回の配当金の基準日の翌日が今回の配当金の基準日から６月前の日以前の日である場合には、計算期間は、その６月前の日の翌日から今回の配当金の基準日までの期間となります。

したがって、関連法人株式等は、原則、株式の３分の１超を基準日以前６ヶ月間、保有しているものが該当します。

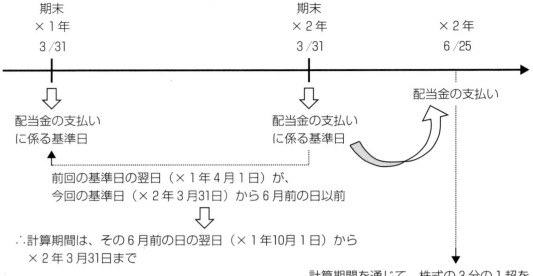

(ハ) その他の株式等

その他の株式等とは、(イ)完全子法人株式等、(ロ)関連法人株式等及び(ニ)非支配目的株式等のいずれにも該当しない株式等をいいます。

(ニ) 非支配目的株式等

非支配目的株式等とは、原則、配当金の支払いに係る基準日において保有割合が5％以下である株式等及び特定株式投資信託の受益権をいいます。

令和4年4月1日以後開始事業年度より、保有割合（5％以下）の判定が見直されました。

　改正前：その内国法人が保有している株式の保有割合
　改正後：その内国法人及び完全支配関係がある法人が保有する株式を含めた保有割
　　　　　合

短期保有株式等がある場合には、その短期保有株式等を有しないものとして非支配目的株式等の判定を行います。これは、基準日直前に買い増しをすることによって、保有割合を5％超にし、基準日から2月以内に売却する租税回避行為を防止するために設けられています。

❷ 益金不算入額の計算

益金不算入額は、それぞれの区分に基づく配当金に応じ、次のとおりです。

株式等の区分	益金不算入額
(イ) 完全子法人株式等	配当金全額
(ロ) 関連法人株式等	配当金－**支払利子**
(ハ) その他の株式等	配当金×**50%**
(ニ) 非支配目的株式等	配当金×**20%**

(イ)はグループ法人税制により、企業グループ間の資産移転には課税を行いませんので、配当金全額が益金不算入となります。

一方、(ロ)は、配当金から支払利子をマイナスしています。

これは、借金をして株式を取得した場合、借金に係る支払利息は損金となるのに対し、配当金が全額益金不算入となると整合性が保たれないことによるものです。

また、平成27年度税制改正により、新たに設けられた(ニ)は益金不算入となる割合が20%になっています。

これは、支配目的が乏しい（持株割合が低い）株式等に係る配当等は課税対象となる部分が拡大されたことによるものです。

❸ 支払利子の計算（令和4年4月1日以後に開始する事業年度）

令和2年度税制改正による株式等の区分判定の見直しと同様に、令和4年4月1日以後に開始する事業年度について、支払利子の額は、その計算方法が簡素化され、原則、関連法人株式等に係る配当等の額の4％相当額となります。ただし、その事業年度の支払利子の額の10％相当額が上限となります。

演習 別表8(1)を作成してみよう

当期中の受取配当金の収入の状況及びその帳簿価額は下記のとおりです。

(1) 受取配当金の明細

銘柄	内容 / 配当金の計算期間	保有割合（＊1）	区分	配当等の金額（円）
A社株式	剰余金の配当 令5.4.1〜令6.3.31	100%	完全子法人株式等	600,000
B社株式	剰余金の配当 令5.10.1〜令6.3.31	90%	関連法人株式等	90,000
Z社株式	剰余金の配当 令6.1.1〜令6.12.31	20%	その他の株式等	200,000
C社株式	剰余金の配当 令5.10.1〜令6.9.30	1%	非支配目的株式等	50,000
D証券投資信託（＊2）	投資信託の収益の分配 —	—	—	60,000
合計				1,000,000

（＊1）A社株式、B社株式及びZ社株式に係る配当等の計算期間中において、株式数の増減はありません。また、C社株式のうち短期保有株式に該当するものはありません。

（＊2）特定株式投資信託には該当しません。

(2) 支払利子

損益計算書　支払利息　400,000円

受取配当等の益金不算入に関する明細書

事業年度	： ：	法人名		別表八(一) 令六・四・一以後終了事業年度分

完全子法人株式等に係る受取配当等の額 （9の計）	1	円	非支配目的株式等に係る受取配当等の額 （33の計）	4	円
関連法人株式等に係る受取配当等の額 （16の計）	2		**Step 2 ⇨ 益金不算入額の計算** 受取配当等の益金不算入額 (1)＋((2)－(20の計))＋(3)×50％＋(4)×(20％又は40％)	5	
その他株式等に係る受取配当等の額 （26の計）	3				

受取配当等の額の明細

完全子法人株式等	法人名	6	計
	本店の所在地	7	
	受取配当等の額の計算期間	8	**Step 1① ⇨ 完全子法人株式等の配当等の明細**
	受取配当等の額	9	円　　円　　円　　円　　円

関連法人株式等	法人名	10	計
	本店の所在地	11	
	受取配当等の額の計算期間	12	・　　・　　・　　・
	保有割合	13	
	受取配当等の額	14	円　　円　　円　　円　　円
	同上のうち益金の額に算入された金額	15	
	益金不算入の対象となる金額 (14)－(15)	16	**Step 1②の2 ⇨ 関連法人株式等の配当等の明細**
	(34)が「不適用」の場合又は別表十七(二の二)付表「13」が「非該当」の場合 (16)×0.04	17	
	同上以外の場合	(16)／(16の計)	18	
		支払利子等の10％相当額（((38)×0.1)又は(別表八(一)付表「14」))×(18)）	19	円　　円　　円　　円　　円
	受取配当等の額から控除する支払利子等の額 (17)又は(19)	20	

その他株式等	法人名	21	計
	本店の所在地	22	
	保有割合	23	**Step 1③ ⇨ その他の株式等の配当等の明細**
	受取配当等の額	24	円　　円　　円　　円　　円
	同上のうち益金の額に算入された金額	25	
	益金不算入の対象となる金額 (24)－(25)	26	

非支配目的株式等	法人名又は銘柄	27	計
	本店の所在地	28	
	基準日等	29	・　　・　　・
	保有割合	30	**Step 1④ ⇨ 非支配目的株式等の配当等の明細**
	受取配当等の額	31	円　　円　　円　　円　　円
	同上のうち益金の額に算入された金額	32	
	益金不算入の対象となる金額 (31)－(32)	33	

支払利子等の額の明細

令第19条第2項の規定による支払利子控除額の計算	34	適用・不適用
当期に支払う利子等の額	35	円
国外支配株主等に係る負債の利子等の損金不算入額、対象純支払利子等の損金不算入額又は恒久的施設に帰せられるべき資本に対応する負債の利子の損金不算入額	36	**Step 1②の1 ⇨ 支払利子相当額【上限額】（支払利子×10％を適用する場合）**
（別表十七(一)「35」と別表十七(二の二)「29」のうち多い金額）又は（別表十七(二の二)「34」と別表十七の二(二)「17」のうち多い金額）		
超過利子額の損金算入額	37	円
支払利子等の額の合計額 (35)－(36)＋(37)	38	

Step 1 ▶株式等の区分毎の配当等の明細

Step 1 では、株式等の区分毎に配当等を記載します。

設問（1）受取配当金の明細のうち、D証券投資信託の収益の分配60,000円は、益金不算入の対象とはなりませんので、明細には記載しません。

<Step 1 ①>
⇒完全子法人株式等に係る配当等を記載します。

受 取 配 当 等 の 額 の 明 細						
完全子法人株式等	法　人　名	6	A社			計
	本店の所在地	7	東京都新宿区	：	：	
	受取配当等の額の計算期間	8	令5・4・1 令6・3・31	：	：	
	受 取 配 当 等 の 額	9	600,000 円	円　　円	円	600,000 円

「1」へ転記

<Step 1 ②の1>
⇒関連法人株式等に係る配当等から控除する支払利子の相当額について、上限額（支払利子×10％）を用いる場合に、記入します。

設問では、下記（イ）よりも（ロ）の方が大きいため上限額は用いません。

したがって、「34」は不適用となり、「35」から「38」は記載不要です。

（イ）関連法人式等に係る配当等90,000円×4％＝3,600円

（ロ）支払利息400,000円×10％＝40,000円

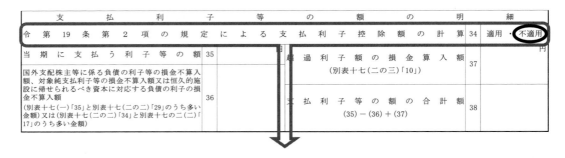

関連法人株式等に係る配当等から控除する支払利子の上限である「支払利子×10％」を用いる場合には、適用となり、「35」から「38」に記入します。

【参考】支払利子の上限を用いる場合

支 払 利 子 等 の 額 の 明 細				
令第19条第2項の規定による支払利子控除額の計算	34	適用・不適用		
当期に支払う利子等の額	35	400,000 円	超過利子額の損金算入額 (別表十七(二の三)「10」)	37	円
国外支配株主等に係る負債の利子等の損金不算入額、対象純支払利子等の損金不算入額又は恒久的施設に帰せられるべき資本に対応する負債の利子の損金不算入額 (別表十七(一)「35」と別表十七(二の二)「29」のうち多い金額)又は(別表十七(二の二)「34」と別表十七の二(二)「17」のうち多い金額)	36		支払利子等の額の合計額 (35)-(36)+(37)	38	400,000

「19」で使用する金額

<Step 1 ②の2>

⇒関連法人株式等に係る配当等を記載します。

「13」の保有割合は、3分の1超(完全子法人株式等を除きます。)である必要があります。

「17」の支払利子相当額は、関連法人株式等に係る配当等の4％相当額です。

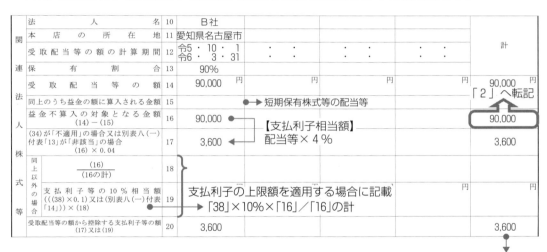

「5」で使用する支払利子等の額

Ⅲ 法人税の申告書を作成してみよう

＜Step 1 ③＞

⇒その他の株式等に係る配当等を記載します。

その他株式等							計
法 人 名	21	Z社					
本 店 の 所 在 地	22	北海道札幌市					
保 有 割 合	23	20%					
受 取 配 当 等 の 額	24	200,000 円	円	円	円	200,000 円	
同上のうち益金の額に算入される金額	25	●→ 短期保有株式等の配当等					
益金不算入の対象となる金額 (24)－(25)	26	200,000				200,000	

「3」へ転記

＜Step 1 ④＞

⇒非支配目的株式等に係る配当等を記載します。

「30」の保有割合は、5％以下となります。

非支配目的株式等							計
法 人 名 又 は 銘 柄	27	C社					
本 店 の 所 在 地	28	京都府京都市					
基 準 日 等	29	令6・9・30	・ ・	・ ・	・ ・		
保 有 割 合	30	1%					
受 取 配 当 等 の 額	31	50,000 円	円	円	円	50,000 円	
同上のうち益金の額に算入される金額	32	●→ 短期保有株式等の配当等					
益金不算入の対象となる金額 (31)－(32)	33	50,000				50,000	

「4」へ転記

Step 2 ▶ 益金不算入額の計算

Step 2 では、受取配当等の益金不算入額を計算します。

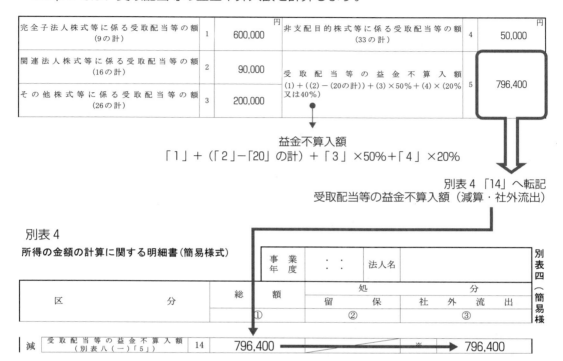

受取配当等の益金不算入額は、会計と法人税法の預金の帳簿価額は一致していますので、社外流出となります。

3 貸倒引当金の処理をマスターしよう

（1）引当金とは

上場会社の貸借対照表をみてみると、貸倒引当金、賞与引当金、退職給付引当金など、さまざまな引当金があります。

この引当金、いったいどのようなものなのでしょうか。

ひとことで言うと、ズバリ、**費用の見積り**です。

会計では、次の4つの要件を満たしたときには、引当金を計上しなければなりません。

① 将来の特定の費用又は損失である

② 発生が当期以前の事象に起因している

③ 発生の可能性が高い

④ 金額を合理的に見積もることができる

つまり、会社の財政状態を明らかにするため、将来発生する可能性の高い費用や損失で、その原因が当期以前にあり、根拠のある金額を算定できるときに引当金が計上されます。

仕訳でみると、次のようになります。

借方		貸方	
○○引当金繰入額 <費用>	×××	○○引当金 <負債又は資産のマイナス>	×××

（2）法人税法の引当金の考え方

これに対して、法人税法では、会社が計上した費用のうち、期末までに債務として確実なものだけを損金とすることとしています。

このことを**債務確定基準**といいます。

債務確定基準では、次の3つの要件をすべて満たさなければなりません。

① 費用に係る債務が成立している

② 債務に係るモノの引渡し、サービスの提供があった

③ 債務の金額を合理的に算定できる

なぜ、法人税法は、このような厳格な要件を定めているのでしょうか。

それは、債務として未確実なものまでも損金とすると、会社に裁量の余地を与え、課税の公平が保てなくなってしまうからです。

引当金は、まさしく費用の見積りですから、期末時点で債務は確定していません。

ですから、会社が費用に計上した引当金は、原則、損金となりません。

ただし、実務とのバランスを考慮し、例外として次の2つの引当金だけ損金とすることが認められています。

- 貸倒引当金
- 返品調整引当金（＊）

もちろん、費用に計上した引当金が無制限に損金となるわけではありません。

法人税法では、一定のワクを設けています。

この一定のワクのことを**繰入限度額**といいます。

たとえば、費用に計上した引当金繰入額が100であり、法人税法の繰入限度額が60の場合、繰入限度額を超えた40は、

- 会計　　⇨　費用
- 法人税法　⇨　損金とならない

となります。

したがって、超過した部分の40は、別表4で加算の申告調整をすることになります。

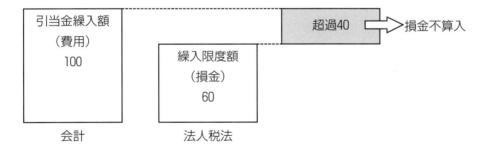

（＊）平成30年度税制改正により、返品調整引当金の損金算入制度は、一定の経過措置後、廃止となります。

（3）損金経理とは

引当金が、損金として認められるためには、会社は、**損金経理**を行わなければなりません。

損金経理とは、会社が決算において費用又は損失に計上することをいいます。

つまり、会社が引当金を費用又は損失として会計処理をしなければ、法人税法も損金と

しませんという意味です。

　たとえば、費用に計上した引当金繰入額が40で、法人税法の繰入限度額が60の場合、繰入限度額のワクが20余っています。

　このとき、余っている20を別表4で減算して、損金にすることはできません。

　損金となる金額は、あくまでも会社が費用に計上した40までとなり、余っている20の部分は、法人税の計算では、なにも考慮しないのです。

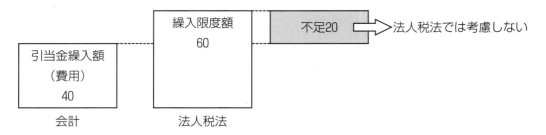

（4）差額補充法と洗替法

引当金の会計処理の方法として、次の2つの方法があります。

① 差額補充法
② 洗替法

差額補充法は、決算整理前の引当金残高と決算で見積もった引当金の金額を比較し、差額を損益に計上する方法です。

一方、洗替法は、期首の引当金残高を全額取崩して収益に計上し、決算で見積もった引当金の金額を費用に計上する方法です。

たとえば、次のケースでみてみましょう。

- 期首の引当金残高　　　　　60
- 決算整理前の引当金残高　　60
- 決算で見積もった引当金　　100

それぞれ決算整理仕訳は次のようになります。

もちろん、会計処理の方法の違いだけであって、最終的な利益は変わりません。

差額補充法		洗替法	
（借方）	（貸方）	（借方）	（貸方）
引当金繰入額<費用> 40	引当金 40	引当金 60	引当金戻入額<収益> 60
		引当金繰入額<費用> 100	引当金 100

では、それぞれの方法において、損金経理をした金額はいくらになるのでしょうか。

洗替法では、損金経理をした金額は、引当金繰入額100であることが分かると思います。

一方、差額補充法では、引当金繰入額40となるのでしょうか。

法人税法では、引当金の処理は**洗替法**の考え方しかありません。

そのため、差額補充法の場合でも、洗替法と同様に、期首の引当金残高60が益金となり、損金経理をした金額は100と考えます。

それでは、**貸倒引当金**の法人税法の取扱いについてみていきましょう。

●（5）貸倒引当金の適用できる法人

平成23年12月の税制改正により、貸倒引当金を損金にすることのできる法人が限定され、平成24年4月1日以後に開始する事業年度より適用されています。

＜適用できる法人＞

① 期末の資本金の額が1億円以下である普通法人（＊1、＊3）

② 資本又は出資を有しない普通法人

③ 公益法人等又は協同組合等

④ 人格のない社団等

⑤ 銀行法第2条第1項に規定する銀行

⑥ 保険業法第2条第2項に規定する保険会社

⑦ ⑤又は⑥に準ずる一定の法人→証券金融会社、銀行持株会社、保険持株会社など

⑧ 上記以外の法人で、金融に関する取引に係る金銭債権を有する一定の法人→いわゆるリース会社やクレジット会社、貸金業を営む法人など（＊2）

（＊1）大法人による完全支配関係がある法人及び完全支配関係のある複数の大法人に株式の全部を保有されている法人を除きます。（p.29参照）

（＊2）損金の対象となる債権は、リース債権や割賦販売に係る債権など一定の金銭債権に限定されています。

（＊3）令和4年4月1日以後に開始する事業年度より内国法人がその内国法人との間に完全支配関係がある他の法人に対して有する金銭債権は、個別評価債権及び一括評価債権には含まれません。

●（6）個別評価債権に係る貸倒引当金

❶ 貸倒引当金には2種類ある

法人税法では、会社の所有する債権の貸倒れリスクの高低により、債権を2つに区分します。

- 個別評価債権
- 一括評価債権

貸倒れリスクの高い債権のことを**個別評価債権**といい、低い債権のことを**一括評価債権**といいます。

そして、それぞれに貸倒引当金の繰入限度額が設けられています。

❷ **個別評価債権に係る貸倒引当金**

1）貸倒れリスクが高い場合とは

個別評価債権の貸倒引当金は、その名のとおり、債権を個別に評価するということです。

債権を取引先である債務者ごとに分類し、また、その債務者の置かれている状況に応じて貸倒引当金の繰入限度額を計算します。

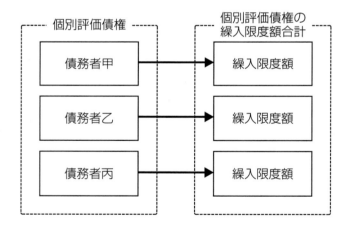

では、どのような状況であれば貸倒れリスクが高いと判断できるのでしょうか。

法人税法では、債務者の状況を3つに区分し、いずれかの状況下であれば、債権の貸倒れリスクが高いと考えています。

区　分	具体的な事実
① 長期にわたり回収される債権	イ　更生計画認可の決定 ロ　再生計画認可の決定 ハ　特別清算に係る協定の認可の決定 ニ　再生計画認可の決定に準ずる事実等に規定する事実が生じたこと ホ　イからハまでに準ずる事由 　（イ）債権者集会の協議決定で合理的な基準により債務者の負債整理を定めているもの 　（ロ）行政機関、金融機関その他第三者のあっせんによる協議により締結された契約でその内容が（イ）に準ずるもの
② 現実的に回収できない債権	債務者の債務超過の状態がおおむね１年以上継続し、かつ、その営む事業に好転の見通しがないこと、災害、経済事情の急変等により多大な損害が生じたことその他の事由が生じていること
③ 貸倒予備軍の債権	イ　更生手続開始の申立て ロ　再生手続開始の申立て ハ　破産手続開始の申立て ニ　特別清算開始の申立て ホ　イからニまでに準ずる事由 　（イ）手形交換所等による取引停止処分 　（ロ）一定の電子債権記録機関による取引停止処分

　①と③は、主として、会社更生法や民事再生法などの法律を根拠とした事実が起きた場合です。

　①では、ニ及びホを除き、すべて**認可の決定**となっており、③では、ホを除き、すべて**開始の申立て**となっています。

　認可の決定と**開始の申立て**について、会社更生法による手続の流れから、確認してみましょう。

　Ⅰ　再建をしようとする会社が、裁判所に**更生手続開始の申立て**を行います。

　　　→③の時点です。

　Ⅱ　裁判所が、会社再建の見込みがあると判断した場合には、更生手続開始の決定を行います。

　Ⅲ　債権者は裁判所から指定された届出期間内に、各自の債権を届け出ます。

　Ⅳ　裁判所から選任された管財人は、会社財産の評価、債権内容の調査、事業計画の検討を行い、債務を返済するための更生計画案を作成します。

Ⅴ 債権者集会が開催され、更生計画案の決議を行います。
Ⅵ 更生計画案が債権者集会で可決されると、裁判所が**更生計画を認可し、決定**を行います。 →①の時点です。

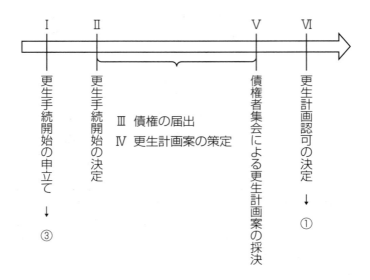

　更生計画では、債権者の届け出た債権が全額返済されることは、滅多にありません。
　通常、届け出た債権のうち、更生計画によって決められた割合の部分が切り捨てられ（債権カット）、残された債権は長期間にわたり弁済されることになります。
　カットされた債権は、もはやお金は回収できませんので貸倒れとなり、法人税法も損金となります。
　一方、残された債権は回収まで長期間にわたることから、法人税法では、将来貸倒れリスクが高い債権として取り扱われます。

　①ホでは、法律に基づくものではありませんが、同様の状況にあるものです。
　たとえば、事業再生ADRによる負債整理などが考えられます。
　③ホ（イ）の手形交換所等の取引停止処分は、債務者の小切手・手形が不渡りとなり、債務者が銀行取引の停止処分を受けた状況です。
　不渡りとは、手形・小切手が資金決済されず、手形・小切手を持ち込んだ銀行に戻されることをいいます。
　不渡りとなった手形・小切手は不渡りの事由が記載された付箋が貼られ、最終的に、その所有者に返却されます。
　不渡りの事由には、
- 0号不渡り……手形・小切手の形式不備などによるもの
- 1号不渡り……資金不足などによるもの

- 2号不渡り……紛失、盗難、偽造などによるもの

があります。

0号は不渡りの処分対象となりませんが、1号については必ず、2号については異議申立のない限り、銀行から手形交換所に不渡届が出されます。この不渡届が6ヶ月以内に2度出されると、小切手・手形の振出人は銀行取引の停止処分という厳しい制裁を受けることになります。

①と③の事実が、法律を根拠としたものであるのに対し、②は債務者の財務状況などの実態に基づいて、客観的に回収が困難である状況を判断します。

回収が困難である状況とは、次のような状況をいいます。

- 債務者の債務超過の状態がおおむね1年以上継続し、かつ、事業に好転の見通しがないこと
- 災害、経済事情の急変等により多大な損害が生じたこと

債務超過であるかどうかは、債務者の貸借対照表を時価で評価し直して、判定を行います。

2） 貸倒引当金の繰入限度額

貸倒引当金の繰入限度額を③、①、②の順にみていきましょう。

【③貸倒予備軍の債権】

③の債権の貸倒引当金の繰入限度額は、次のとおりです。

| 繰入限度額 ＝ （債権額 － 実質的に債権とみられないもの） × 50% |

債権額からは、抵当権や信用保険などによって担保されている部分の金額をマイナスします。

実質的に債権とみられないものとは、その取引先に対する買掛金や営業保証金などの債務のことをいいます。

つまり、債権の金額を限度として、債権と債務が相殺されます。

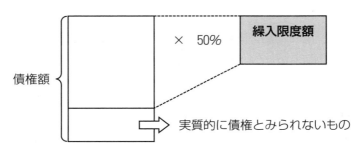

【①長期にわたり回収される債権】

①の債権の貸倒引当金の繰入限度額は、次のとおりです。

> 繰入限度額 ＝ （債権額 － 5年を経過する日までの弁済予定額）

債権からは、抵当権や信用保険などで担保されている部分の金額をマイナスします。

弁済される予定の債権のうち、5年以内は回収できる可能性は高いが、5年を超えると回収できる可能性が不確実と考えています。

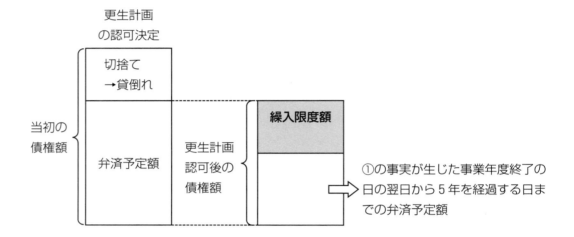

たとえば、次の事例による貸倒引当金の繰入限度額をみてみましょう。

- 事業年度　　　　　　　×1年4月1日～×2年3月31日
- 届け出た債権額　　　　200
- 更生計画認可の決定の日　×2年1月31日
- 切り捨て額　　　　　　60
- 弁済予定額　　　　　　140（7年間にわたり、毎年9月末日に20ずつ弁済）

当期の貸倒引当金の繰入限度額は、弁済予定の債権（140）のうち、更生計画認可の決定があった日の事業年度終了の日の翌日（×2年4月1日）から5年を経過する日（×7年3月31日）までの弁済予定額（20×5＝100）を超える部分となります。

したがって、5年を超える弁済予定額の40が繰入限度額です。

続いて、翌期（×3年3月期）の繰入限度額をみてみましょう。

翌期では、順調に20が弁済されたとすると、債権額は120（140－20）となります。

繰入限度額は、弁済予定の債権のうち、更生計画認可の決定があった日の事業年度の翌期首から5年を経過する日までの弁済予定額を超える部分ですから、40（120－80）となります。

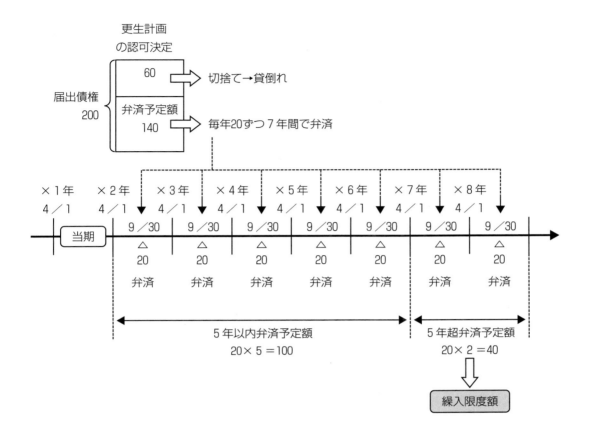

【②現実的に回収できない債権】

②の債権の貸倒引当金の繰入限度額は、次のとおりです。

| 繰入限度額 ＝ 債権額 |

担保物の処分や保証人からの弁済によって、回収が可能である金額は債権額から除かれます。

演習 別表11（1）を作成してみよう

（1） 個別評価債権に係る貸倒引当金に関する事項

内　訳	期首残高	繰入額	取崩額	期末残高
F 社	600,000円	400,000円	600,000円	400,000円
G 社	0円	500,000円	0円	500,000円
合計	600,000円	900,000円	600,000円	900,000円

（2） 個別評価債権に関する事項

取引先	債権の種類	債権額	備　考
F 社 東京都新宿区	売掛金	900,000円	【前期における処理】 ・F社は令和6年2月1日に会社更生法による更生手続開始の申立を行った。 ・F社に対する売掛金1,200,000円を有しており、貸倒引当金を600,000円計上し、損金に算入している。 【当期における処理】 ・令和6年11月30日に更生計画認可の決定があり、売掛金1,200,000円のうち300,000円は切捨て、500,000円は当期末の翌日から5年以内に弁済され、残りの400,000円は当期末の翌日から5年を超えて弁済されることとなった。
G 社 大阪府大阪市中央区	手形	600,000円	・G社は令和6年6月30日に手形交換所の取引停止処分を受けた。 ・G社が振り出した手形が600,000円あり、また、同社に対する未払金が100,000円ある。

演習　別表11（1）を作成してみよう　　67

個別評価金銭債権に係る貸倒引当金の損金算入に関する明細書

事業年度	・　・	法人名	

別表十一（一）　令六・四・一以後終了事業年度分

債務者	住　所　又　は　所　在　地	1	**Step 1 ⇨ 債権の概要**			計
	氏　名　又　は　名　称（外国政府等の別）	2	(　　　　)	(　　　　)	(　　　　)	
	個　別　評　価　の　事　由	3	令第96条第1項第　号該当	令第96条第1項第　号該当	令第96条第1項第　号該当	令第96条第1項第　号該当	
	同　上　の　発　生　時　期	4	・　・	・　・	・　・	

当　　期　　繰　　入　　額	5	**Step 2 ⇨ 損金経理した金額**				

繰入限度額の計算の	個　別　評　価　金　銭　債　権　の　額	6	**Step 3 ⇨ 引当金の対象額の計算**				
	(6)のうち5年以内に弁済される金額（令第96条第1項第1号に該当する場合）	7					
	(6)のうち取立て等の見込額	担保権の実行による取立て等の見込額	8					
		他の者の保証による取立て等の見込額	9					
		その他による取立て等の見込額	10					
		(8)＋(9)＋(10)	11					
	(6)のうち実質的に債権とみられない部分の金額	12					
	(6)－(7)－(11)－(12)	13					

計算	繰入限度額	令第96条第1項第1号該当(13)	14	**Step 4 ⇨ 繰入限度額の計算**				円
		令第96条第1項第2号該当(13)	15					
		令第96条第1項第3号該当(13) × 50 %	16					
		令第96条第1項第4号該当(13) × 50 %	17					

繰　入　限　度　超　過　額(5) －((14)、(15)、(16)又は(17))	18	**Step 5 ⇨ 繰入限度超過額の計算**				

貸倒実績率の計算の基礎となる金額の明細	貸倒れによる損失の額等の合計額に加える金額((6)の個別評価金銭債権が売掛債権等である場合の(5)と((14)、(15)、(16)又は(17))のうち少ない金額)	19	**Step プラス ⇨ 貸倒実績率の計算の基礎となる金額**				
	貸倒れによる損失の額等の合計額から控除する金額	前期の個別評価金銭債権の額（前期の(6)）	20					
		(20)の個別評価金銭債権が売掛債権等である場合の当該個別評価金銭債権に係る損金算入額（前期の(19)）	21					
		(21)に係る売掛債権等が当期において貸倒れとなった場合のその貸倒れとなった金額	22					
		(21)に係る売掛債権等が当期においても個別評価の対象となった場合のその対象となった金額	23					
		(22)又は(23)に金額の記載がある場合の(21)の金額	24					

Step 1 ▶債権の概要

Step 1 では、個別評価債権の概要を把握します。債務者の住所「1」及び氏名「2」、取引先に生じた事由「3」、その起きた日「4」を記載します。

Step 2 ▶損金経理した金額

Step 2 では、決算で費用に計上した引当金繰入額を記載します。

演習 別表11（1）を作成してみよう 69

Step 3 ▶引当金の対象額の計算

Step 3 では、貸倒引当金の対象となる債権の金額を計算します。

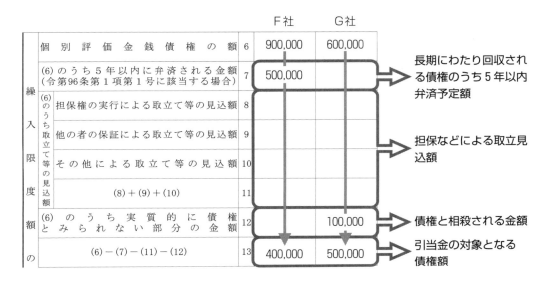

Step 4 ▶繰入限度額の計算

Step 4 では、法人税法で損金にすることのできる限度額を計算します。

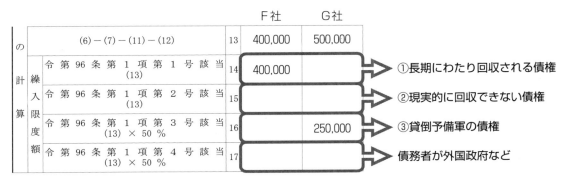

Step 5 ▶繰入限度超過額の計算

Step 5 では、法人税法の繰入限度額を超えている金額を計算します。

当期繰入額「5」と繰入限度額「14」「15」「16」「17」を比較し、繰入限度額を超えている場合には、その超えている部分は損金になりません。

ですから、「18」に記載された金額は、別表4で加算の申告調整が必要となります。

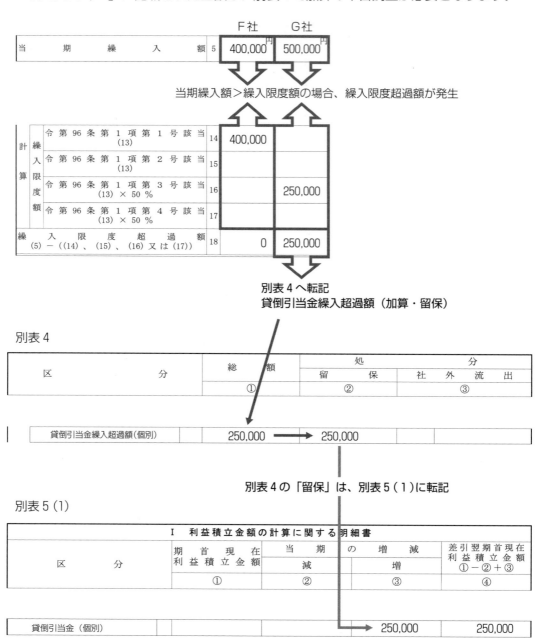

Step プラス ▶貸倒実績率の計算の基礎となる金額

　Step プラスでは、翌事業年度以後、一括評価債権に係る貸倒引当金の繰入限度額について、貸倒実績率を求めるときの基礎となる金額を把握します。

			F社	G社	
貸倒実績率の計算の基礎となる金額の明細	貸倒れによる損失の額等の合計額に加える金額（(6)の個別評価金銭債権が売掛債権等である場合の(5)と((14)、(15)、(16)又は(17))のうち少ない金額)	19	400,000	250,000	損金経理した繰入額「5」と繰入限度額のいずれか少ない金額を記載（＊）
	前期の個別評価金銭債権の額（前期の(6)）	20	1,200,000	0	前期に個別評価の対象となった債権金額（前期の別表11（1）「6」）
	(20)の個別評価金銭債権が売掛債権等である場合の当該個別評価金銭債権に係る損金算入額（前期の(19)）	21	600,000	0	前期の個別評価債権について損金に算入した金額（前期の別表11（1）「19」）
	(21)に係る売掛債権等が当期において貸倒れとなった場合のその貸倒れとなった金額	22	300,000	0	前期の個別評価債権が当期に貸倒れとなった場合の貸倒れとなった金額
	(21)に係る売掛債権等が当期においても個別評価の対象となった場合のその対象となった金額	23	900,000	0	前期の個別評価債権が当期も個別評価の対象となった場合の債権金額
	(22)又は(23)に金額の記載がある場合の(21)の金額	24	600,000	0	「22」または「23」に金額の記載がある場合に、「21」の金額を記載（＊）

　（＊）「19」の計及び「24」の計を翌事業年度以後の貸倒実績率を計算するときに用います。

※別表4の留保と別表5(1)の関係

ここでもう一度、別表4の留保と別表5(1)の関係について確認してみましょう。

別表4の申告調整には、**留保**と**社外流出**の2つに区分されました。

資産、負債の帳簿価額に会計と法人税法の**違いがある場合を留保**とし、**違いがない場合を社外流出**として認識します。そして、留保のときには、法人税法の純資産を把握するための別表5(1)へ転記されます。

では、G社の貸倒引当金のケースでみてみましょう。

会計上、費用に計上した貸倒引当金繰入額は500,000円です。これに対し、法人税法の繰入限度額は250,000円ですから、超過部分の250,000円は損金不算入となっています。

B/Sの貸倒引当金の残高は500,000円ですが、法人税法の貸倒引当金の残高は、あくまでも損金となった部分の250,000円です。

そのため、別表5(1)で貸倒引当金250,000円増加（B/Sの貸倒引当金500,000円からマイナスするという意味）させています。

翌期になり、会計上、貸倒引当金の全額500,000円を取り崩して収益に計上したとします。

翌期末のB/Sの貸倒引当金の残高はゼロです。

- 会計処理

> （借方）貸倒引当金　500,000／（貸方）貸倒引当金戻入額＜収益＞　500,000

法人税法では、500,000円全額を益金として認識してはいけません。

なぜなら、500,000円には、法人税法の貸倒引当金で存在していない250,000円が含まれているからです。

法人税法では、損金となった部分の250,000円だけが益金となります。

- 法人税法の考え方による仕訳

> （借方）貸倒引当金　250,000／（貸方）貸倒引当金戻入額＜益金＞　250,000

すると、収益と益金に250,000円の違いが生じています。

この違いを別表4で申告調整（減算・留保）します。

別表4で減算した250,000円は、別表5（1）の減少に転記され、翌期末の貸倒引当金の帳簿価額は会計も法人税法もゼロで一致しています。

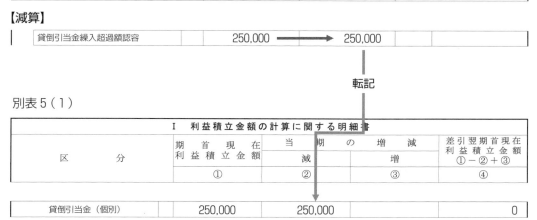

別表11（1）の見方

別表11（1）は、いわば会社の抱えている不良債権の明細といえます。
この別表をみると
- 会社がどのような不良債権を抱えているのか
- 貸借対照表の債権の価値が過大となっていないか

などが分かります。

たとえば、大口の取引先の不良債権がある場合には、今後、その会社にとって大きな影響を及ぼします。また、不良債権を抱えているにもかかわらず貸倒引当金が十分に計上されていない場合には、貸借対照表の資産は、債権の価値が過大に計上されていることになります。

● (7) 一括評価債権に係る貸倒引当金

❶ 一括評価債権とは

一括評価債権は、個別評価債権以外の貸倒れリスクの低い債権です。

では、もう少し細かく、どのような債権が貸倒引当金の対象となるのかみてみましょう。

債権は、基本的に、相手に請求することのできる権利で金銭に換算できるものです。

ところが、確実に貸倒れが起こらない債権や費用の前払いなどは、貸倒引当金の対象とはなりません。

たとえば、事務所を賃借するときに家主に預ける保証金や従業員の出張旅費など経費の概算払いなどが該当します。

実務上は、対象とならない債権をおさえておけば分かりやすいと思います。

対象となる債権	イ　売掛金、受取手形、貸付金 ロ　未収の譲渡代金、未収加工料、未収請負金、未収手数料、未収保管料、未収地代家賃、貸付金の未収利子などで、益金の額に算入されたもの ハ　他人のために立替払いをしたときの立替金 ニ　未収の損害賠償金で益金の額に算入されたもの ホ　保証債務を履行した場合の求償権 ヘ　売掛金、貸付金等の債権について取得した先日付小切手のうち、法人が金銭債権に含めたもの ト　売掛金、貸付金等の既存債権について取得した受取手形を裏書譲渡した場合又は割り引いた場合の**裏書手形又は割引手形**（**財務諸表の注記等で確認できるようにする**ことが必要） など
対象とならない債権	イ　預貯金及びその未収利子、公社債の未収利子、未収配当その他これらに類する債権 ロ　保証金、敷金、預け金その他これらに類する債権 ハ　手付金、前渡金等のように資産の取得の代価又は費用の支出に充てるものとして支出した金額 ニ　前払給与、概算払旅費、前渡交際費等のように将来精算される費用の前払として一時的に仮払金、立替金等として経理されている金額 ホ　仕入割戻し（リベート）の未収金 など

令和4年4月1日以後に開始する事業年度より内国法人がその内国法人との間に完全支配関係がある他の法人に対して有する金銭債権は、個別評価債権及び一括評価債権には含まれません。

❷ 貸倒引当金の繰入限度額

一括評価債権の貸倒引当金の繰入限度額は、次のとおりです。

> 繰入限度額 ＝ 期末の一括評価債権の帳簿価額 × 繰入率

繰入率は、原則、**貸倒実績率**を用いますが、中小法人では**法定繰入率**も選択することができます。

中小法人とは、期末の資本金が1億円以下で、次のいずれにも該当しない法人のことをいいます。

- 大法人（資本金が5億円以上の法人等）による完全支配関係がある法人
- 完全支配関係がある複数の大法人に株式の全部を保有されている法人

ただし、平成31年4月1日以後開始する事業年度から、中小法人であっても、適用除外事業者については法定繰入率を適用することができません。

適用除外事業者は、その事業年度開始の日前3年以内に終了した各事業年度の所得金額の合計額をその各事業年度の月数の合計数で除し、これに12を乗じて計算した金額が15億円を超える法人が該当します。

つまり、資本金が1億円以下であっても、直前期以前3期（前期、前々期、前々々期）の所得金額の1年当たりの平均額が15億円超の法人は、大法人並みの所得水準であるため、中小法人に設けられている特定の優遇措置は適用できないこととなります。

① 貸倒実績率

貸倒実績率は、過去3年間に、一括評価債権のうち、実際に貸倒れが発生した割合です。

> 貸倒実績率 ＝ $\dfrac{\text{直近3年間の貸倒発生額}}{\text{直近3年間の一括評価債権の合計}}$ （小数点以下4位未満切上げ）

分子の貸倒発生額は、債権の貸倒損失と個別評価債権の引当金繰入額の合計から個別評価債権の引当金戻入額を差し引いた金額です。この場合の引当金繰入・引当金戻入は、損金・益金になったものだけが対象となります。

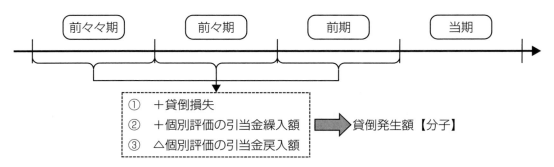

たとえば、次のケースで当期の貸倒発生額をみてみましょう。

【前々期】

甲社が会社更生法による更生手続開始の申立てを行った。

甲社に対する売掛金は1,600円である。

（借方）貸倒引当金繰入額（個別評価）800（②）／（貸方）貸倒引当金　　　　　800

【前期】

甲社の更生計画が認可決定された。債権1,600円のうち1,200円は切り捨てられ、400円は翌期に弁済される予定である。

（借方）貸倒引当金　　　　　800　　　／（貸方）**貸倒引当金戻入額 800（③）**
　　　　貸倒損失　　　1,200（①） ／　　　　売掛金　　　　1,200

【当期】

直近3年間の貸倒発生額の計算

①	貸倒損失	＋1,200
②	個別評価の貸倒引当金繰入額	＋800
③	個別評価の貸倒引当金戻入額	△800
	直近3年間の貸倒発生額	1,200

② 法定繰入率

法定繰入率は、税法により、会社の主たる業種に応じて繰入率が定められています。

業　種	繰入率
卸売業・小売業・飲食店業	1.0%
製造業	0.8%
金融業・保険業	0.3%
割賦販売小売業等	0.7%（＊）
その他の事業	0.6%

（＊）令和3年度税制改正において、繰入率が1.3%から0.7%に引き下げられました。令和3年4月1日以後に開始する事業年度について適用されます。

③ 実質的に債権とみられないもの

法定繰入率を適用する場合には、一括評価債権から実質的に債権とみられないもの

を除きます。

　実質的に債権とみられないものは、個別評価債権のときと、ほぼ同じ考え方です。

　同じ取引先に対して債権と債務があれば、債権の金額を限度として、債権と債務が相殺されます。

　なお、平成27年4月1日に存在していた会社は、上記の実額のほかに簡便計算を選択することができます。

　債権と債務の両方がある取引先が多いときには、簡便計算により実務上の手間を省くことができます。

　簡便計算では、平成27年4月1日から平成29年3月31日までの間に開始した各事業年度における実績を用い、次の算式によって、実質的に債権とみられないものを求めます。

　会社は、実額と簡便計算による額とを比較して、事業年度ごとに有利な方を選択することができます。

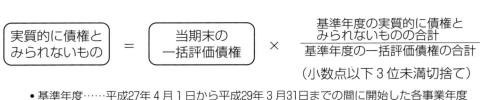

演習 別表11（1の2）を作成してみよう

（1）一括評価債権に係る貸倒引当金に関する事項

内訳	期首残高	繰入額	取崩額	期末残高
一括評価債権に係る貸倒引当金	900,000円	300,000円	0円	1,200,000円
合計	900,000円	300,000円	0円	1,200,000円

（2）一括評価債権に関する事項

勘定科目	金　額	備　考
受取手形	16,000,000円	G社振り出しの手形600,000円が含まれている。
売掛金	54,000,000円	F社に対する売掛金900,000円が含まれている。
立替金	700,000円	立替金の内訳は次のとおりである。 　イ　従業員に対する概算経費の未精算分　　300,000円 　ロ　H社の経費の立替分　　　　　　　　　400,000円
短期貸付金	4,000,000円	A社（完全支配関係のある法人）に対する貸付金である。
合計	74,700,000円	

（3）貸倒実績率に関する事項

・直近3期の一括評価金銭債権

事業年度	期末一括評価債権の額
前々々期	70,000,000円
前々期	90,000,000円
前期	80,000,000円
合計	240,000,000円

・直近3期の貸倒損失等の発生状況

事業年度	貸倒損失	個別評価による貸倒引当金繰入額 （各期の別表11(1)「19」の計）	個別評価による貸倒引当金戻入額 （各期の別表11(1)「24」の計）
前々々期	800,000円	200,000円	0円
前々期	900,000円	100,000円	200,000円
前期	1,300,000円	600,000円	100,000円
合計	3,000,000円	900,000円	300,000円

（注）別表4の申告調整は生じていません。

演習　別表11（1の2）を作成してみよう　79

（4）法定繰入率に関する事項

- 法定繰入率

    卸売業　→　1.0%　（10／1,000）

- 実質的に債権とみられないもの

取引先	債　権	債　務	相殺すべき債権額
I社	売掛金　1,000,000円	買掛金　800,000円	800,000円
J社	売掛金　400,000円	未払金　500,000円	400,000円
合計	－	－	1,200,000円

- 適用除外事業者の判定

    当社の直前期以前3期の所得金額の1年当たりの平均額は15億円以下です。

（5）貸倒引当金の総勘定元帳

貸　倒　引　当　金

（単位：円）

日付	相手科目	摘要	借方	貸方	残高
4／1	－	前期繰越 内訳 （個別）600,000円 （一括）900,000円			1,500,000
4／1	貸倒引当金繰入額	期首戻入（個別）	600,000		900,000
決算	貸倒引当金繰入額	期末引当金計上（個別）		900,000	1,800,000
決算	貸倒引当金繰入額	期末引当金計上（一括）		300,000	2,100,000

80 Ⅲ　法人税の申告書を作成してみよう

一括評価金銭債権に係る貸倒引当金の損金算入に関する明細書

事　業 年　度	・　・	法人名	

別表十一（一の二）　令六・四・一以後終了事業年度分

繰入限度額の計算	当　期　繰　入　額 **Step 4 ⇨ 損金経理した金額**	1	円
	期末一括評価金銭債権の帳簿価額の合計額 （22の計）	2	
	貸　倒　実　績　率 （15）	3	
	実質的に債権とみられないものの額を控除した期末一括評価金銭債権の帳簿価額の合計額 （24の計） **Step 5 ⇨ 繰入限度額**	4	円
	法　定　の　繰　入　率	5	，000
	繰　入　限　度　額 （（2）×（3））又は（（4）×（5））	6	円

繰　入　限　度　超　過　額 （1）－（6） **Step 6 ⇨ 繰入限度超過額**	7	

貸倒実績率の計算	前 3 年内事業年度（設立事業年度である場合には当該事業年度）の（2）の合計額	8	円
	(8) 前 3 年内事業年度における事業年度の数	9	
	前 3 年内事業年度（設立事業年度である場合には当該事業年度）の	売掛債権等の貸倒れによる損失の額の合計額	10	
		別表十一（一）「19の計」の合計額 **Step 2 ⇨ 貸倒実績率の計算**	11	
		別表十一（一）「24の計」の合計額	12	
		貸 倒 れ に よ る 損 失 の 額 等 の 合 計 額 （10）＋（11）－（12）	13	
		12 （13）× 前 3 年内事業年度における事業年度の月数の合計	14	
	貸　倒　実　績　率 (14) (9) （小数点以下 4 位未満切上げ）	15	

一　括　評　価　金　銭　債　権　の　明　細

勘定科目	期末残高	売掛債権等とみなされる額及び貸倒否認額	(16)のうち税務上貸倒れがあったものとみなされる額及び売掛債権等に該当しないものの額	個別評価の対象となった売掛債権等の額及び非適格合併等により合併法人等に移転する債権等の額	法第52条第1項第3号に該当する法人令第96条第9項第2号の金銭債権の額	完全支配関係がある他の法人に対する売掛債権等の額	期末一括評価金銭債権の額 (16)＋(17)－(18)－(19)－(20)－(21)	実質的に債権とみられないものの額	差引期末一括評価金銭債権の額 (22)－(23)
		16	17	18		21	22	23	24
		円	円	円		円	円	円	円
				Step1 **⇨ 債権の明細**					**Step3①** **⇨ 相殺債権実額**
計									

貸倒実績率　　法定繰入率

基　準　年　度　の　実　績　に　よ　り　実　質　的　に　債　権　と　み　ら　れ　な　い　も　の　の　額　を　計　算　す　る　場　合　の　明　細

平成27年 4 月 1 日から平成29年 3 月31日までの間に開始した各事業年度末の一括評価金銭債権の額の合計額 **Step3②** **⇨ 相殺債権簡便**	25	円	債 権 か ら の 控 除 割 合 (26) (25) （小数点以下 3 位未満切捨て）	27	
同上の各事業年度末の実質的に債権とみられないものの額の合計額	26		実質的に債権とみられないものの額 （22の計）×(27)	28	円

演習　別表11（1の2）を作成してみよう　81

Step 1 ▶債権の明細

Step1では、一括評価債権の明細を把握します。

一 括 評 価 金 銭 債 権 の 明

勘 定 科 目	期 末 残 高	売掛債権等とみなされる額及び貸倒否認額	(16)のうち税務上貸倒れがあったものとみなされる額及び売掛債権等に該当しないものの額	個別評価の対象となった売掛債権等及び非適格合併等により移転する売掛債権等の額	法第52条第1項第3号に該当する令第96条第9項各号の金銭債権以外の金銭債権の額	完全支配関係がある他の法人に対する売掛債権等の額	期末一括評価金銭債権の額 (16)＋(17)－(18)－(19)－(20)－(21)
	16	17	18	19	20	21	22
受取手形	16,000,000 円	円	円	600,000	円	円	15,400,000 円
売掛金	54,000,000			900,000			53,100,000
立替金	700,000		300,000				400,000
短期貸付金	4,000,000					4,000,000	0
計	74,700,000		300,000	1,500,000		4,000,000	68,900,000

B／Sより債権を記入
※裏書手形・割引手形は記載モレしやすいので注意

対象とならない債権

個別評価債権は対象外

完全支配関係のある法人に対する債権

期末一括評価債権
「16」－「18」－「19」－「21」

「16」……貸借対照表から債権の期末残高を記載します。

割引手形や裏書手形は注記から把握します。

「18」……期末残高「16」のうち一括評価債権に該当しないものを記載します。

設問では、立替金のうち従業員に対する概算経費の未精算分300,000円は、将来の費用の前払いですから、一括評価債権に該当しません。

「19」……個別評価債権は、別表11（1）で損金算入限度額を設けていますので、一括評価債権から除きます。

設問では、G社の振り出した手形600,000円とF社に対する売掛金900,000円が該当します。

「21」……令和4年4月1日以後に開始する事業年度より、完全支配関係のある法人に対する債権は、貸倒引当金の設定対象となる債権から除かれます。

Step 2 ▶貸倒実績率の計算

Step 2 では、貸倒実績率を求めます。

分母の金額である債権は、「8」と「9」で計算します。

分子の金額である貸倒発生額は、「10」から「14」で計算します。

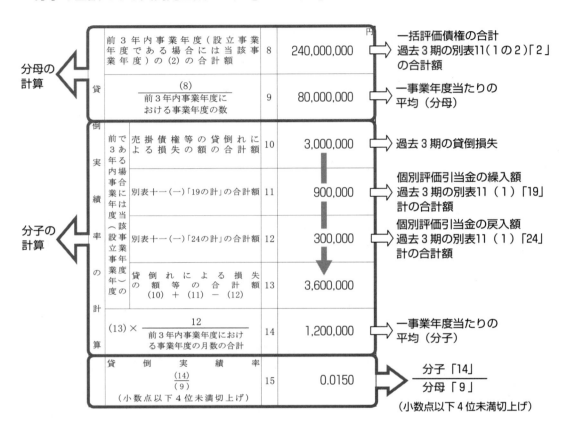

演習　別表11（1の2）を作成してみよう　　83

Step ③ ▶①実質的に債権とみられないもの（実額）

　Step 3 ①では、実質的に債権とみられないものを記載します。

　この金額は、**法定繰入率を適用する場合にのみ必要**ですから、貸倒実績率を適用する場合には、記載する必要はありません。

　設問では、相殺すべき債権額の合計は1,200,000円となっていますので、「23」に記載をします。

期末一括評価金銭債権の額 (16) ＋ (17) － (18) － (19) － (20) － (21)	実質的に債権とみられないものの額	差引期末一括評価金銭債権の額 (22) － (23)
22	23	24
15,400,000 円	円	15,400,000 円
53,100,000	1,200,000	51,900,000
400,000		400,000
0		0
68,900,000	1,200,000	67,700,000

法定繰入率を用いる場合にのみ使用

Step 3 ▶②実質的に債権とみられないものの簡便計算

Step 3 ②は、簡便計算により債権とみられないものの額を計算します。

「25」……基準年度の一括評価債権の合計額を記載します。

「26」……基準年度の実額の実質的に債権とみられないものの額を記載します。

「27」……基準年度における控除割合（「26」／「25」）を求めます。

「28」……期末一括評価金銭債権「22」に「27」乗じて、実質的に債権とみられないものの額を計算します。

設問では、資料がありませんので別表の記載を省略します。

基準年度の実績により実質的に債権とみられないものの額を計算する場合の明細				
平成27年4月1日から平成29年3月31日までの間に開始した各事業年度末の一括評価金銭債権の額の合計額	25	円	債権からの控除割合 $\frac{(26)}{(25)}$ （小数点以下3位未満切捨て）	27
同上の各事業年度末の実質的に債権とみられないものの額の合計額	26		実質的に債権とみられないものの額 （22の計）×（27）	28 円

Step 4 ▶損金経理した金額

Step 4 は、決算で費用に計上した引当金繰入額を記載します。

法人税法の引当金の処理の考え方は洗替法しかありません。

ですから、期首の900,000円が全額取り崩され、益金となります。

そして、引当金繰入額として損金経理した金額は1,200,000円となり、一括評価債権に係る貸倒引当金の期末残高は1,200,000円となります。

Step 5 ▶繰入限度額の計算

Step 5は、法人税法の繰入限度額を計算します。

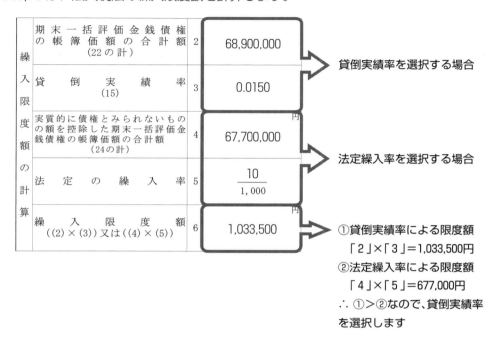

Step 6 ▶ 繰入限度超過額の計算

Step 6 では、当期繰入額「1」と繰入限度額「6」を比較し、繰入限度額を超えている場合には、その超えている部分は損金になりません。

ですから、「7」に記載された金額は、別表4で加算の申告調整が必要となります。

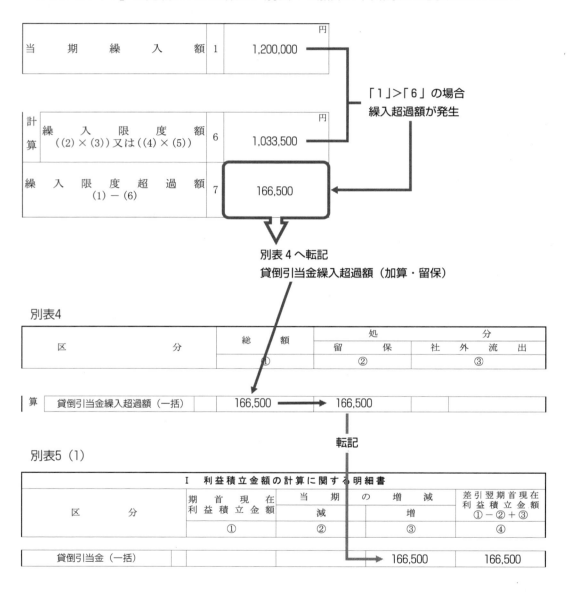

演習 別表11（1の2）を作成してみよう 87

貸倒引当金の利用割合

　国税庁が公表している令和4年度分の会社標本調査によると、貸倒引当金を損金としている法人は約70万社あり、利用割合は約24.0%となっています。

　資本金階級別でみると、最も利用割合が高い階級は、資本金1,000万円超1億円以下の法人で42.4%となっており、続いて、資本金1,000万円以下の法人で21.7%となっています（連結法人・通算法人を除きます）。

　一方、資本金1億円超の法人では平成26年度から平成27年度にかけて、利用割合が大幅に低下しています。

　これは、税制改正により、資本金1億円超の法人は、経過措置事業年度後である平成27年4月1日以後開始事業年度より貸倒引当金の損金算入が適用できなくなったことによるものと考えられます。

○資本金階級別貸倒引当金の利用割合（連結法人・通算法人を除く）

区分 年度	1,000万円以下	1,000万円超1億円以下	1億円超10億円以下	10億円超
平成25年度	23.1%	42.7%	23.7%	42.9%
平成26年度	23.7%	43.4%	22.2%	40.6%
平成27年度	24.6%	43.9%	9.4%	13.9%
平成28年度	24.3%	43.7%	2.0%	4.9%
平成29年度	24.1%	43.9%	1.6%	4.7%
平成30年度	23.6%	43.8%	1.5%	3.9%
令和元年度	23.2%	43.5%	1.9%	4.2%
令和2年度	16.1%	32.8%	1.8%	3.7%
令和3年度	16.0%	32.3%	1.9%	4.2%
令和4年度	21.7%	42.4%	2.2%	3.7%

出所：国税庁　会社標本調査を基に作成

4 賞与引当金の処理をマスターしよう

（1）賞与とは

日本では、従業員に対して盆暮れに賞与を支給する慣習があります。

賞与の支給に関する決まりごとは、通常、会社の就業規則において取り決められています。

就業規則では賞与額の算定の基礎となる支給対象期間を定め、その期間における会社の業績や人事考課をベースに、支給する賞与の金額が決定されます。

（2）賞与引当金とは

賞与引当金は、将来、従業員に対して支給する賞与の金額の見積もりです。

たとえば、3月決算の会社が、6月から11月までの支給対象期間に対して12月に賞与を支給し、12月から翌年5月までの支給対象期間に対して翌年6月に賞与を支給するケースをみてみましょう。

12月に支給する賞与は、支給対象期間すべてが当期に属しています。したがって、会計処理は、支給時に費用を計上します。

一方、翌年6月に支給する賞与は、支給対象期間のうち当期に含まれる期間が12月から翌年3月まであります。

そのため、会計では、6月に支給する賞与のうち、当期に属する期間の部分について引当金を計上します。

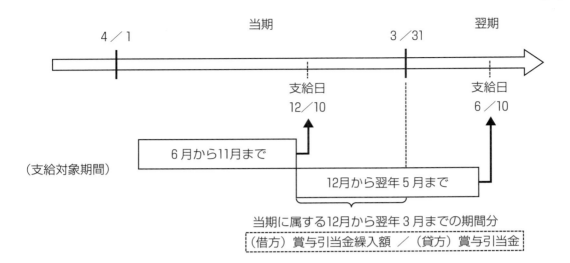

●（3）賞与引当金の法人税法の取扱い

　法人税法で損金が認められる引当金は、貸倒引当金と返品調整引当金（＊）の2種類だけです。

　ですから、会社が費用に計上した賞与引当金は、全額、損金になりませんので、単純に別表4で加算の申告調整を行い、別表5（1）へ転記を行います。

　　（＊）平成30年度税制改正により、返品調整引当金の損金算入制度は、一定の経過措置後、廃止となります。

演習 賞与引当金の申告調整をしてみよう

当期の賞与引当金の総勘定元帳は、次のとおりです。

賞 与 引 当 金　　　　　　　　　　　　　（単位：円）

No.	日付	相手科目	摘　要	借　方	貸　方	残　高
1	4／1	－	前期繰越			5,500,000
2	6／10	預金	夏期賞与支給	5,500,000		0
3	決算	賞与引当金繰入額	夏期賞与の引当金計上		6,300,000	6,300,000

（No.1）　賞与引当金の期首残高5,500,000円は、前期の申告書において加算の申告調整をしている。

（No.2）　従業員に夏期賞与を10,000,000円支給した。

借　方		貸　方	
賞与引当金	5,500,000	預金	10,000,000
給与手当	4,500,000		

（注）社会保険料及び源泉所得税等は考慮しないものとします。

（No.3）　決算整理仕訳

　　　翌期の夏期賞与の支給見込額のうち、当期の支給対象期間に係る部分6,300,000円を引当計上した。

借　方		貸　方	
賞与引当金繰入額	6,300,000	賞与引当金	6,300,000

演習　賞与引当金の申告調整をしてみよう　91

Step 1 ▶前期の加算額を減算

前期に加算済みの賞与引当金は、別表4で減算の申告調整をします。

（No.2）賞与支給時の会計処理と法人税法の取扱いを確認してみましょう。

会計処理では、支給額1,000万円のうち、前期の期間に対応する賞与引当金550万円を取崩し、当期の期間に対応する給与手当450万円を費用に計上しています。

これに対し、法人税法では、従業員に支給する賞与は、原則、支給した時の損金となります。

そのため、法人税法の仕訳は、次のとおりとなります。

（借方）損　　金　　　　　10,000,000 ／ （貸方）預　　金　　　　　10,000,000

その結果、会計と法人税法のズレである550万円は、別表4で減算の申告調整をします。

ちなみに、会計処理が洗替法であっても、別表4の申告調整は同じです。

（単位：万円）

	会計処理		法人税法	
	（借方）	（貸方）	（借方）	（貸方）
期首	賞与引当金　　550	引当金戻入額 550	なし	
賞与支給時	給与手当　 1,000	預金　　　 1,000	損金　 1,000	預金　 1,000

法人税法では、期首の賞与引当金の残高はゼロです。ですから、戻入額は益金となりません。

Ⅲ　法人税の申告書を作成してみよう

賞与引当金に関する専用の別表はありませんので、直接、別表4に記載します。

別表4

区　　　　　　分	総　　額	処　　　　　分		
		留　　保	社　外　流　出	
	①	②	③	

【減算】

| 賞与引当金認容 | 5,500,000 ⟶ | 5,500,000 | | |

転記

別表5（1）

Ⅰ　利益積立金額の計算に関する明細書				
区　　　分	期　首　現　在 利　益　積　立　金　額	当　期　の　増　減		差引翌期首現在 利　益　積　立　金　額 ①－②＋③
		減	増	
	①	②	③	④
賞与引当金	5,500,000	5,500,000		

Step 2 ▶当期の賞与引当金繰入額を加算

当期の費用に計上した賞与引当金は、別表4で加算の申告調整をします。

設問では、賞与引当金630万円を繰り入れていますので、別表4で加算の申告調整を行います。

別表4

区　　　　　　分	総　　額	処　　　　　分		
		留　　保	社　外　流　出	
	①	②	③	

【加算】

| 賞与引当金繰入額 | 6,300,000 ⟶ | 6,300,000 | | |

転記

別表5（1）

Ⅰ　利益積立金額の計算に関する明細書				
区　　　分	期　首　現　在 利　益　積　立　金　額	当　期　の　増　減		差引翌期首現在 利　益　積　立　金　額 ①－②＋③
		減	増	
	①	②	③	④
賞与引当金	5,500,000	5,500,000	6,300,000	6,300,000

5 交際費の処理をマスターしよう

（1）交際費はキビシイ

　取引先を接待したときなどに係る交際費は、法人税法では、損金となる金額が制限されています。交際費もれっきとした費用であるのに、なぜこのような制度が設けられているのでしょうか。

　この制度は、会社の無駄遣いを節約して自己資本を増やし、財務体質の強化を図る目的で、昭和29年に設けられました。そして、制度の内容を改正しながら今日まで続いています。

　つまり、交際費支出の抑制を図るために、交際費に課税するということなのです。

　たとえば、交際費100を支出し、実効税率が30％であるときの会社の資金負担を考えてみましょう。

　交際費100が全額損金とならなければ、税負担が30増加します。

　すると、会社の資金負担は、交際費の1.3倍になってしまうのです。

（2）法人税法の交際費とは

　一般的に交際費というと、取引先などとの会食やゴルフの接待、また、お中元やお歳暮の贈答などをイメージすると思います。

　法人税法では、一般的な交際費のイメージよりももっと広く、次の3つの要件を満たしたものを交際費としています。

①　支出した相手

　事業に関係のある者である。

　例）得意先、仕入先、自社の役員や従業員、株主など

②　支出の目的

　事業関係者との間の親睦の度を密にして取引関係の円滑な進行を図る。

③　行為の形態

　接待、供応（食事を提供すること）、慰安、贈答その他これらに類するもの。

　ここで注意すべき点は、会計処理の科目は、**「交際費・接待費」に限らない**ということです。

たとえ広告宣伝費や会費などとして会計処理を行っていても、上記の3要件に該当するものは、法人税法の交際費となるのです。

すると、たとえば、年末年始に取引先にカレンダーなどを配布することや社内の新年会や社員旅行なども上記3要件を満たしてしまいます。

それはあまりに理不尽ですから、社会一般的に行われているようなものについては、法人税法の交際費から除かれています。

●（3）法人税法の交際費とならないもの

それでは、法人税法の交際費とならないものの例をみてみましょう。

＜法人税法の交際費から除かれる費用の例＞

項　目	内　容
1．福利厚生費	専ら従業員の慰安のために行われる運動会、演芸会、旅行などのために通常要する費用
2．少額の接待飲食費	接待における飲食などの費用で参加者1人当たり10,000円以下のもの（※）
3．少額の広告宣伝費	カレンダー、手帳、うちわなど少額の物品を贈与するために通常要する費用
4．会議費	会議に関連して、茶菓、弁当などの飲食物を供与するために通常要する費用
5．取材費	新聞、雑誌などの出版物又は放送番組を編集するために行われる座談会その他記事の収集のために、又は放送のための取材に通常要する費用
6．上記の他、寄附金、売上値引・割戻し、広告宣伝費、福利厚生費、給与の性質を有する費用	

（※）令和6年度税制改正により、参加者1人当たりの飲食費等の金額の基準が、5,000円以下から10,000円以下に引き上げられました。

改正後の金額の基準は、令和6年4月1日以後に支出する飲食費等について適用されます。

少額の接待飲食費以外については、広く一般的に行われているものですから、交際費とならないことは分かると思います。

一方、少額の接待飲食費は、上述の3要件を満たした交際費です。

しかしながら、本来は交際費であるにもかかわらず、少額であることから法人税法の交際費から除いても良いことになっています。

5．交際費の処理をマスターしよう　95

（４）少額の接待飲食費（措置法61の４第６項第２号）

少額の接待飲食費とは、次の３つの要件をすべて満たしたものをいいます。

１．飲食その他これに類する行為のために要する費用（飲食費等）

取引先など会社外部の人との飲食費等が対象となります。ですから、社内の者だけの飲食費等は、原則、福利厚生費や会議費に該当しない限り、交際費となります。

２．参加者１人当たり10,000円以下

飲食費等の総額を参加人数で割って、10,000円以下となるものが該当します。

１次会と別の場所で２次会を催すときには、１次会と２次会とを別々にして10,000円以下かどうかを判定します。

令和６年３月31日以前に支出した飲食費等の金額基準は、参加者１人当たり5,000円以下です。

３．書類の保存要件

会社が次の事項を記載した書類を保存しておかなければなりません。

① 飲食等の年月日

② 取引先の氏名や名称及び当社との関係

③ 飲食等に参加した者の人数

④ 飲食費等の金額、飲食店名及び住所

⑤ その他参考となるべき事項

当社の参加者名や飲食等の目的などを記載しておくことが考えられます。

（５）交際費の損金不算入額の計算

平成26年度税制改正において、交際費のうち接待飲食費の額の50％相当額を損金にすることのできる規定が設けられ、平成26年４月１日以後に開始する事業年度より適用されています。

接待飲食費の範囲は、前述**（４）**の少額の接待飲食費と同様です。

ですから、専らその法人の役員、従業員又はこれらの親族に対する接待等のために支出する費用、いわゆる社内飲食費は含まれません。

飲食費等の額が１人当たり10,000円超であっても半分を損金とすることができますが、帳簿書類に**（４）**３．①、②、④及び⑤の事項を記載しなければなりません。

この改正により、損金とならない金額（損金不算入額）は、期末の資本金の額に応じ、それぞれ下記のようになります。

1．資本金1億円超100億円以下（＊1）の法人

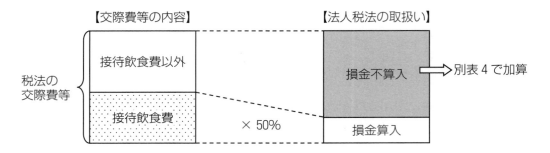

（＊1）令和2年度税制改正により、令和2年4月1日以後に開始する事業年度について、期末の資本金が100億円超の法人は、接待飲食費の50％が損金となる特例は適用できません。

2．資本金1億円以下の法人（＊2）

　資本金1億円以下の中小法人については、交際費のうち年800万円まで損金とすることができます。このワクのことを定額控除限度額といいます。

　中小法人では、事業年度毎に、定額控除限度額（下図）又は上記1のいずれかを選択することができます。

　したがって、接待飲食費の額が年1,600万円超であれば、上記1を選択した方が有利となります。

（＊2）次の法人は除きます。
　　・大法人による完全支配関係がある法人
　　・完全支配関係がある複数の大法人に株式の全部を保有されている法人
　大法人とは、資本金が5億円以上の法人等のことをいいます。

交際費と経理処理

　平成26年度の税制改正により、交際費の経理処理が複雑になりました。
　なぜなら、資本金1億円超100億円以下の法人の場合、会計上、接待交際費で処理した科目のうち、税法の取扱いが3つに分かれるからです。
　ですから、補助科目を設けるなどして期中の取引から区分しておかないと、決算の際、集計をするのがとても大変です。
　資本金1億円以下の中小法人では、定額控除限度額（年800万円）が設けられていますので、明らかに下図②の接待飲食費の見込額が年1,600万円を超えなければ、区分は①と③になります。

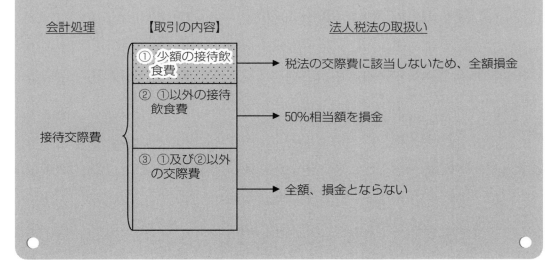

演習　別表15を作成してみよう

（1）損益計算書の接待交際費の金額　9,383,190円

（2）接待交際費のうち、次の内容のものが含まれています。

　　　• 取引先との飲食費のうち、1人当たり10,000円以下のもの……600,000円
　　　　　租税特別措置法第61条の4第6項第2号の要件を満たしている。

　　　• 取引先との飲食費のうち、1人当たり10,000円超のもの……3,800,000円

（3）広告宣伝費には、次の内容のものが含まれています。

　　　• 年末に得意先に配布した当社の社名入りカレンダーの制作費用……300,000円
　　　　　　　　　　　　　　　　　　　　　　　　　　（1部当たり500円）

（4）雑費のうち、次の内容のものが含まれています。

　　　• 得意先の訪問時に持参した贈答用のお菓子代……30,000円
　　　　　　　　　　　　　　　　　（単価3,000円程度）

交際費等の損金算入に関する明細書

事 業 年 度	：　：	法人名	

別表十五　令六・四・一以後終了事業年度分

支 出 交 際 費 等 の 額 （8 の 計）	1	円	損 金 算 入 限 度 額 （2）又は（3）	4	円
支出接待飲食費損金算入基準額 （9の計）× $\frac{50}{100}$	2				
中小法人等の定額控除限度額 （（1）と（（800万円×$\frac{}{12}$）又は（別表十五付表「5」））のうち少ない金額）	3		（1）－（4）	5	

Step 2
⇨ **損金不算入額の計算**

支 出 交 際 費 等 の 額 の 明 細

科　　　　　目	支 出 額	交際費等の額から控除される費用の額	差引交際費等の額	（8）のうち接待飲食費の額
	6	7	8	9
	円	円	円	円
交　　際　　費				
計				

Step 1
⇨ **交際費の明細**

Step ① ▶交際費の明細

Step1では、法人税法の交際費を把握します。

P/Lの接待交際費の金額

科　　　　目	支　出　額 6	交際費等の額から 控除される費用の額 7	差引交際費等の額 8	(8)　の　う　ち　接　待 飲　食　費　の　額 9
	円	円	円	円
交　　　際　　　費	9,383,190	600,000	8,783,190	3,800,000
雑費	30,000		30,000	

支　出　交　際　費　等　の　額　の　明　細

会計処理をした科目／法人税法の交際費の額 ※P/Lの金額ではない／法人税法の交際費から除くもの／「6」-「7」 「8」の合計／50％相当額が損金となる接待飲食費の額を記載 「9」の合計

計	9,413,190	600,000	8,813,190	3,800,000

まず、P/Lの接待交際費の金額を「6」に記載します。

接待交際費のうち、法人税法の交際費から除かれる少額の接待飲食費は「7」に記載します。

次に、P/Lの接待交際費の科目以外のうち法人税法の交際費を把握します。

広告宣伝費のうち当社の社名入りのカレンダーは、一部当たり500円程度と少額です。したがって、法人税法の交際費には該当しませんので、別表に記載する必要はありません。

雑費のうち得意先の訪問時に持参した贈答用のお菓子代は、少額の接待飲食費に該当しませんので、法人税法の交際費に該当します。

したがって、「6」に30,000円を記載します。

最後に、差引交際費等の額「8」のうち、支出額の半分が損金となる接待飲食費を「9」に記載します。

設例では、取引先との飲食費のうち、1人当たり10,000円超のもの（3,800,000円）が該当します。

Step 2 ▶ 損金不算入額の計算

Step 2 では、損金とならない金額を計算します。

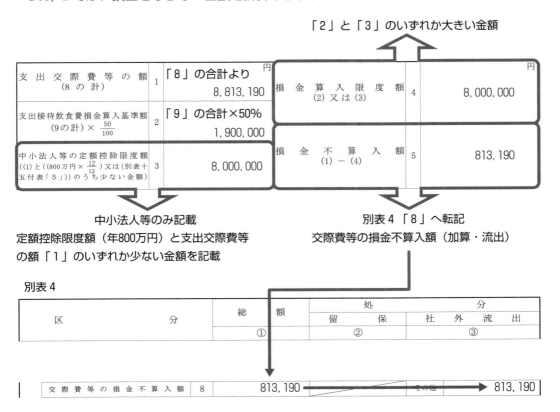

交際費はどの程度が妥当か

　再び、国税庁の会社標本調査によると、交際費等の支出額は、令和元年度分では3兆9,402億円でしたが、令和2年度分は2兆9,605億円、令和3年度分は2兆8,507億円に減少しました。

　これは、新型コロナウイルス感染症の感染拡大を防止するための行動制限があったことによるものと考えられます。

　令和4年度分では3兆5,820億円となり、前年度からの伸び率は25.7%と大幅に増加しました。

　売上高10万円当たりの交際費の支出額は、全体で208円となっており、資本金階級別でみてみると、次のようになっています。

資本金	売上高10万円当たり			
	令和元年度分	令和2年度分	令和3年度分	令和4年度分
1,000万円以下	685円	590円	523円	575円
1,000万円超　5,000万円以下	309円	232円	180円	227円
5,000万円超　1億円以下	144円	103円	94円	117円
1億円超　10億円以下	131円	66円	60円	82円
10億円超	102円	55円	54円	72円
連結法人	83円	49円	46円	75円
通算法人	―	―	―	48円
合計	265円	219円	193円	208円

出所：国税庁　会社標本調査を基に作成

6 減価償却の処理をマスターしよう

（1）会計の減価償却の考え方

会計では、収益と費用をきちんと対応させ、一事業年度の正確な利益を測定したいという目的があります。

そのため、事業活動に長期間使用する建物、機械、什器備品など固定資産の取得に要した金額は、取得時に費用とするのではなく、事業活動に使用できる期間にわたり費用化していきます。

事業活動に使用できる期間のことを**耐用年数**といい、費用化する手続のことを**減価償却**といいます。

（2）法人税法の減価償却の考え方

会計の考え方からすると、会社自身が、その固定資産の使用状況から耐用年数を適正に見積もり、その耐用年数にわたり、会社が選択した償却方法により減価償却をすることが望ましいことになります。

しかしながら、法人税法では、会社独自で設定した耐用年数による減価償却費をそのまま損金とすると、同じ固定資産であっても各社によって減価償却費が異なり、課税の公平が保てなくなってしまいます。

そこで、会社の恣意性を排除する観点から、固定資産について細かく耐用年数を定めています。

この定められた耐用年数のことを**法定耐用年数**といいます。

法人税法では、法定耐用年数に基づいて計算した金額を**償却限度額**といい、減価償却費のうち償却限度額までを損金とすることにしています。

たとえば、会社が計上した減価償却費が100、償却限度額が80である場合には、償却限度額を超える20を別表4で加算の申告調整することになります。

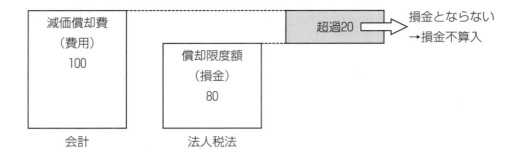

● (3) 損金とするための要件

　減価償却費が損金となるための要件には、会社が**損金経理**を行う必要があります。

　損金経理という言葉は引当金でも登場しました。決算で費用又は損失の会計処理を行うことをいいます。

　つまり、会社が減価償却費を費用に計上していないにもかかわらず、償却限度額相当額を別表4で減算の申告調整することはできません。

● (4) 定額法と定率法

　代表的な減価償却の方法には、**定額法**と**定率法**の2つの方法があります。

　会社の任意でいずれの方法でも選択することができます。

　しかしながら、会計では、会社が一旦採用した償却方法を変更するときには、変更することについて合理的な理由がなければならないとされています。

　一方、法人税法では、会社が選択をした償却方法は、原則、税務署へ届出を行います。

　届出をしなかった場合には、定率法を採用したものとして取り扱われます。

　ただし、平成10年4月1日以後に取得した建物、無形固定資産及び平成28年4月1日以後に取得した建物附属設備・構築物の償却方法は、定額法のみとなります。

　定額法は、固定資産の取得価額を耐用年数にわたり、毎期、同額を費用化していく方法です。

　たとえば、取得価額200、耐用年数5年である場合、5年間にわたり毎期、40ずつ減価償却費を計上していきます。

　これに対し、定率法は固定資産の未償却残高に一定の償却率を乗じて、費用化していく方法です。

　償却率については、(8)で説明します。

（5）減価償却費のポイント

定額法でも定率法でも減価償却費の計算のモトとなるものは、

- 取得価額
- 償却率

です。

そのため、実務上、取得価額と法定耐用年数をキチンとおさえることが重要となります。

会計上、法人税法に則った取得価額を計上し、法定耐用年数に応じる償却率により減価償却費を計上していれば、費用と損金がイコールとなり、別表4の申告調整は生じません。

（6）取得価額をおさえよう

それでは、固定資産の取得価額を構成するものをみてみましょう。

法人税法では、取得した形態により、取得価額を次のように定めています。

① 購入した場合

- 相手先に支払った代金
- 購入のために要した費用

　　（例）引取運賃、荷役費、購入手数料、運送保険料、関税など

- 事業の用に供するために直接要した費用

　　（例）据付費、試運転費など

② 自社で建設、製作、製造した場合

- 原価（原材料費、労務費、経費）
- 事業の用に供するために直接要した費用

　　（例）据付費、試運転費など

固定資産を取得するための費用や事業に使用するための費用は、原則、取得価額に含まれることに注意してください。

ただし、固定資産の取得に関連して支出したものであっても、次のような費用は取得価額に含めないことができます。

- 不動産取得税又は自動車取得税
- 登録免許税その他登記又は登録のために要する費用
- 借入金の利子

●（7）耐用年数表をみてみよう

　法定耐用年数に関する決まりごとは、**減価償却資産の耐用年数等に関する省令**（以下、**耐用年数等省令**といいます。）で定められています。

　ちなみに、法人税法では、減価償却を行う固定資産のことを減価償却資産と呼んでいます。

　耐用年数等省令では、減価償却資産を大きく6つに区分して、別表第一から別表第六まで設けられています。これらの別表は法人税申告書の別表のことではありません。耐用年数等省令の中の別表です。

　　　別表第一　機械及び装置以外の有形減価償却資産の耐用年数表
　　　別表第二　機械及び装置の耐用年数表
　　　別表第三　無形減価償却資産の耐用年数表
　　　別表第四　生物の耐用年数表
　　　別表第五　公害防止用減価償却資産の耐用年数表
　　　別表第六　開発研究用減価償却資産の耐用年数表

　それでは、もっとも一般的な別表第一を抜粋してみてみましょう。

＜別表第一　機械及び装置以外の有形減価償却資産の耐用年数表（抜粋）＞

① 種類	② 構造又は用途	③ 細目		④ 法定耐用年数
建物	鉄骨鉄筋コンクリート造又は鉄筋コンクリート造のもの	事務所用又は美術館用のもの及び下記以外のもの		50
		住宅用、寄宿舎用、宿泊所用、学校用又は体育館用のもの		47
		飲食店用、貸席用、劇場用、演奏場用、映画館用又は舞踏場用のもの		
			飲食店用又は貸席用のもので、延べ面積のうちに占める木造内装部分の面積が3割を超えるもの	34
			その他のもの	41
		旅館用又はホテル用のもの		
			延べ面積のうちに占める木造内装部分の面積が3割を超えるもの	31
			その他のもの	39
		店舗用のもの		39
		病院用のもの		39
		（以下、省略）		

　別表第一の法定耐用年数を決める要素は、左から①種類、②構造又は用途、③細目となります。

①**種類**は、次の8つの種類です。

　　建物、建物附属設備、構築物、船舶、航空機、車両及び運搬具、工具、器具及び備品

②**構造又は用途**では、固定資産本体の構造やその使い途が判定の基準となります。

　たとえば、建物では、その構造が鉄筋コンクリート造なのか、又は、木造なのかなどにより、法定耐用年数が異なります。

③**細目**では、具体的な使用目的や材質などが決め手となります。

　建物が鉄筋コンクリート造であっても、会社の事務所として使用するのか、又は、店舗として使用するのかによっても、法定耐用年数が異なります。

●（8）償却率を調べよう

　法定耐用年数が分かれば、償却率が決まります。

　償却率は、耐用年数等省令の別表第七、第八、第九及び第十の4種類あります。

減価償却資産の旧定額法、旧定率法、定額法及び定率法（平成19年4月1日〜平成24年3月31日取得分）の償却率、改定償却率及び保証率の表（耐用年数省令別表第七、別表第八、別表第九）

耐用年数	平成19年3月31日以前取得		耐用年数	平成19年4月1日以後取得	耐用年数	平成19年4月1日〜平成24年3月31日取得		
	旧定額法償却率	旧定率法償却率		定額法償却率		定率法		
						償却率	改定償却率	保証率
2	0.500	0.684	2	0.500	2	0.100	—	—
3	0.333	0.536	3	0.334	3	0.833	1.000	0.02789
4	0.250	0.438	4	0.250	4	0.625	1.000	0.05274
5	0.200	0.369	5	0.200	5	0.500	1.000	0.06249
6	0.166	0.319	6	0.167	6	0.417	0.500	0.05776
7	0.142	0.280	7	0.143	7	0.357	0.500	0.05496
8	0.125	0.250	8	0.125	8	0.313	0.334	0.05111
9	0.111	0.226	9	0.112	9	0.278	0.334	0.04731
10	0.100	0.206	10	0.100	10	0.250	0.334	0.04448
11	0.090	0.189	11	0.091	11	0.227	0.250	0.04123

【別表第七】　　　　　【別表第八】　　　　　【別表第九】

（以下、省略）耐用年数100年まで定められています。

108 Ⅲ 法人税の申告書を作成してみよう

平成24年4月1日以後に取得をされた減価償却資産の定率法の償却率、
改定償却率及び保証率の表（耐用年数省令別表第十）

耐用年数	償却率	改定償却率	保証率
2	1.000	―	―
3	0.667	1.000	0.11089
4	0.500	1.000	0.12499
5	0.400	0.500	0.10800
6	0.333	0.334	0.09911
7	0.286	0.334	0.08680
8	0.250	0.334	0.07909
9	0.222	0.250	0.07126
10	0.200	0.250	0.06552
11	0.182	0.200	0.05992

【別表第十】

（以下、省略）耐用年数100年まで定められています。

出所：国税庁「平成23年12月改正　法人の減価償却制度の改正に関するＱ＆Ａ」より抜粋

　なぜ4種類あるのかというと、平成19年度税制改正及び平成23年12月税制改正により、
減価償却の制度が改正されたことによるものです。

＜平成19年度税制改正＞
　平成19年度税制改正の目的は、取得価額を法定耐用年数の終了するときまでに、帳簿価
額1円（備忘価額）まで償却できるようにすることにあります（無形固定資産は帳簿価額
0円まで償却することができます）。
　そのポイントは、次の2つです。

内　容	＜改正前＞ 平成19年3月31日以前に取得	＜改正後＞ 平成19年4月1日以後に取得	影　響
1．残存価額	取得価額の10%	0円	毎期の償却限度額が増加
2．償却可能限度額	取得価額の95%相当額	取得価額－1円	損金となる範囲の拡大

❶　残存価額
　残存価額は、いわゆる処分見込価額ともいい、その減価償却資産を処分したときの価値
のことをいいます。
　改正前は、残存価額を取得価額の10%と見込んでいましたが、改正後では、残存価額が
ゼロとなりました。

6．減価償却の処理をマスターしよう　109

❷　償却可能限度額

　償却可能限度額は、取得価額のうち損金とすることのできる金額の範囲をいいます。

　改正前は、減価償却資産を使用している限り、いくら法定耐用年数を経過していても、取得価額の５％（100％－95％）を超えて減価償却をすることはできませんでした。

　改正後では、減価償却資産の帳簿価額が１円に達するまで減価償却をすることができます（無形固定資産は帳簿価額０円まで償却することができます）。

　償却の計算方法が大きく変わったため、改正前を旧定額法・旧定率法といい、改正後を定額法・定率法といいます。

＜平成23年12月税制改正＞

　平成19年度税制改正では、定率法の償却率は定額法の償却率の2.5倍と定められました（250％定率法）。

　ところが、平成23年12月税制改正により、平成24年４月１日以後に取得する減価償却資産から定率法の償却率が引き下げられ、定額法の償却率の２倍になりました（200％定率法）。

　これら税制改正の結果、いつ減価償却資産を取得したのかにより、用いる別表（償却率）が異なります。

取得時期	償却率の表	
平成19年３月31日以前に取得	別表第七 （旧定額法・旧定率法）	
平成19年４月１日から平成24年３月31日までの間に取得	別表第八 （定額法）	別表第九 （250％定率法）
平成24年４月１日以後に取得		別表第十 （200％定率法）

●（9）償却限度額を計算してみよう

　それでは、平成19年３月31日以前に取得したものと平成24年４月１日以後に取得したものの償却限度額の計算をそれぞれみてみましょう。

① **平成19年３月31日以前に取得**したもの

償却方法	償却限度額
旧定額法	（取得価額 － 残存価額）× **旧定額法の償却率**
旧定率法	（取得価額 － 既償却額）× **旧定率法の償却率** 未償却残高

残存価額……取得価額×10％

　たとえば、期首にパソコン（取得価額20万円）を購入し、法定耐用年数４年のケースをみてみましょう。

　旧定額法による償却限度額は、

　　１年目）　（200,000－20,000）× 0.250 ＝ 45,000

　　２年目）　（200,000－20,000）× 0.250 ＝ 45,000

　　３年目）　（200,000－20,000）× 0.250 ＝ 45,000

　　４年目）　（200,000－20,000）× 0.250 ＝ 45,000

　　５年目）　200,000 × 95％ － 180,000 ＝ 10,000
　　　　　　　　償却可能限度額　　　　既償却額

となります。

　一方、旧定率法による償却限度額は、

　　１年目）　200,000 × 0.438 ＝ 87,600

　　２年目）　112,400 × 0.438 ＝ 49,231

　　３年目）　　63,169 × 0.438 ＝ 27,668

　　４年目）　　35,501 × 0.438 ＝ 15,549

　　５年目）　　19,952 × 0.438 ＝ 　8,738

　　６年目）　200,000 × 95％ － 188,786 ＝ 1,214
　　　　　　　　償却可能限度額　　　　既償却額

となります。

　いずれも法定耐用年数４年を経過した時点で、帳簿価額１円まで償却することはできません。

　償却可能限度額に達した減価償却資産の取扱いは、**(10)** で説明します。

6．減価償却の処理をマスターしよう **111**

② **平成24年４月１日以後に取得**したもの

償却方法	償却限度額
定額法	取得価額 × **定額法の償却率**
定率法	（取得価額 － 既償却額）× **定率法の償却率** ＝ A
	【A の金額が償却保証額に満たない事業年度となった場合】 改定取得価額 × 改定償却率 ＝ 償却限度額

①のケースと同様に、定額法による償却限度額は、

1 年目） 200,000 × 0.250 ＝ 50,000

2 年目） 200,000 × 0.250 ＝ 50,000

3 年目） 200,000 × 0.250 ＝ 50,000

4 年目） （200,000－1） － 150,000 ＝ 49,999
　　　　　　償却可能限度額　　　　既償却額

となります。

一方、定率法による償却限度額は、

1 年目） 200,000 × 0.500 ＝ 100,000

2 年目） 100,000 × 0.500 ＝ 50,000

3 年目） 50,000 × 0.500 ＝ 25,000

となります。

ところが、 4 年目では通常と同様の計算による償却限度額は、

• 25,000 × 0.500 ＝ 12,500

となります。

すると、 4 年目の減価償却後の帳簿価額は、

• 25,000 － 12,500 ＝ 12,500

となり、法定耐用年数 4 年を経過した時点で、帳簿価額が 1 円となりません。

そこで、**償却保証額**という考え方がでてきます。

通常の計算による償却限度額12,500（A）が、償却保証額に満たないときには、償却限度額の計算がガラリと変わります。

償却保証額は、

　取得価額 × 保証率

で計算します。

保証率は、次頁、別表第十の①の欄です。

法定耐用年数 4 年の場合、保証率は0.12499ですから、償却保証額は、

• 200,000 × 0.12499 ＝ 24,998

となり、通常の償却限度額12,500よりも大きくなります。

すると、償却限度額の計算は、

$$\boxed{\text{改定取得価額} \ \times \ \text{改定償却率}}$$

となります。

改定取得価額とは、通常の計算による償却限度額が、**初めて償却保証額に満たなく
なったときの期首の帳簿価額**をいいます。

したがって、4年目の期首の帳簿価額である25,000が、改定取得価額となります。

改定償却率は、下表、別表第十の②の欄です。

法定耐用年数4年の改定償却率は、1.000となっています。

その結果、4年目の償却限度額は、

- 25,000×1.000 － 1 ＝ 24,999

となります。

定額法でも定率法でも、法定耐用年数4年を経過した時点で、帳簿価額1円まで償
却することができます。

【別表第十】
平成24年4月1日以後に取得をされた減価償却資産の定率法の償却率、
改定償却率及び保証率の表（耐用年数省令別表第十）

耐用 年数	償却率	② 改定償却率	① 保証率
2	1.000	—	—
3	0.667	1.000	0.11089
4	0.500	1.000	0.12499
5	0.400	0.500	0.10800

出所：国税庁「平成23年12月改正　法人の減価償却制度の改正に関するQ&A」より抜粋

（10）償却可能限度額に達した固定資産

償却可能限度額は、取得価額のうち損金とすることのできる金額の範囲です。

平成19年度税制改正前は、減価償却資産を使用している限り、法定耐用年数が経過して
も取得価額の5％を超えて償却することができません。

一方、改正後では、帳簿価額1円まで償却をすることができます。

このままでは、改正前と改正後の減価償却資産では、釣り合いがとれません。

そこで、改正前の減価償却資産のうち、償却可能限度額に達したものは、達した事業年
度後より、5年間にわたり帳簿価額1円になるまで、均等額を損金とする取扱いが設けら
れています。

6．減価償却の処理をマスターしよう

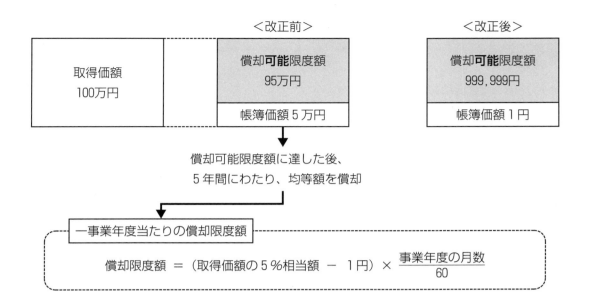

演習 別表16(1)、別表16(2)を作成してみよう

<固定資産減価償却内訳表>

(単位:円)

No	内容	償却方法	取得年月	耐用年数	償却率 (改定償却率)	取得価額	期首帳簿価額	減価償却額	期末帳簿価額
1	本社建物	旧定額	平18.4	50	0.020	100,000,000	67,600,000	1,800,000	65,800,000
2	会計ソフト	定額	令5.4	5	0.200	1,500,000	1,200,000	330,000	870,000
3	営業用車両 (*1)	200%定率	令2.9	6	0.333 (0.334)	2,000,000	478,199	159,718	318,481
4	複写機	200%定率	令6.4	5	0.400	625,000		270,000	355,000
	合計					104,125,000	69,278,199	2,559,718	67,343,481

(*1) 通常の償却費　478,199円×0.333＝159,240円…(A)

　　　償却保証額　2,000,000円×保証率(0.09911)＝198,220円…(B)

　　　(A)<(B) となりますので、償却費の計算は、下記となります。

　　　改定取得価額(478,199円)×改定償却率(0.334)＝159,718円

(注) いずれの資産も過年度において償却超過額は発生していません。

　償却限度額を計算するための別表は、次のとおりです。

- 旧定額法・定額法　……　別表16(1)
- 旧定率法・定率法　……　別表16(2)

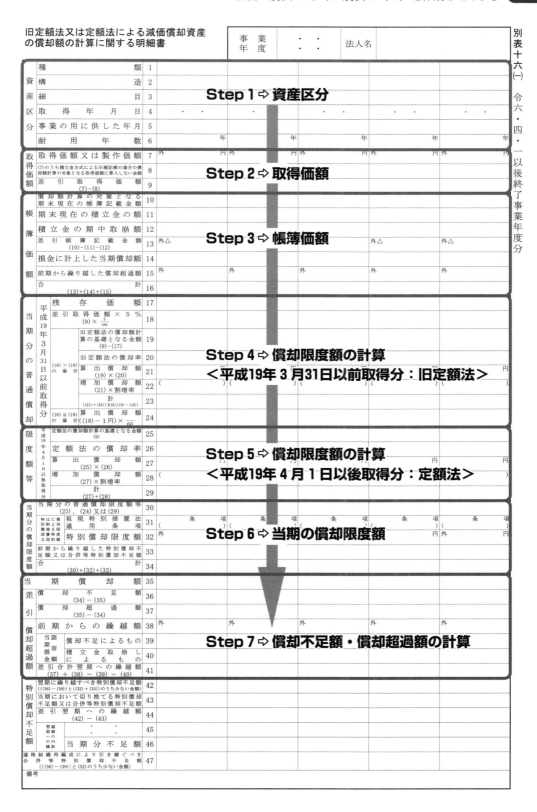

116　Ⅲ　法人税の申告書を作成してみよう

Step 1 ▶資産区分

Step 1 では、耐用年数等省令から、資産の内容を記載します。

資産区分	種　　　　　　　類	1	建物	ソフトウエア
	構　　　　　　　造	2	鉄骨鉄筋コンクリート	
	細　　　　　　　目	3	事務所用	その他のもの
	取　得　年　月　日	4	平18・4・	令5・4・
	事業の用に供した年月	5		
	耐　用　年　数	6	50 年	5 年

⇨ 耐用年数等省令　別表第一から第六まで

⇨ 期中に取得した場合のみ記載

⇨ 耐用年数等省令の耐用年数

Step 2 ▶取得価額

Step 2 では、取得価額を記載します。

			建物	ソフトウェア
取得価額	取得価額又は製作価額	7	外 100,000,000 円	外 1,500,000 円
	(7)のうち積立金方式による圧縮記帳の場合の償却額計算の対象となる取得価額に算入しない金額	8		
	差　引　取　得　価　額 (7)-(8)	9	100,000,000	1,500,000

Step 3 ▶帳簿価額

Step 3 では、B/S の期末帳簿価額を調整し、法人税法の期首帳簿価額を把握します。

			建物	ソフトウエア
帳簿価額	償却額計算の対象となる期末現在の帳簿記載金額	10	65,800,000	870,000
	期末現在の積立金の額	11		
	積立金の期中取崩額	12		
	差引帳簿記載金額 (10)-(11)-(12)	13	外△ 65,800,000	外△ 870,000
	損金に計上した当期償却額	14	1,800,000	330,000
	前期から繰り越した償却超過額	15	外	外
	合　　　計 (13)+(14)+(15)	16	67,600,000	1,200,000

⇨ B/Sの期末帳簿価額

⇨ 当期に損金経理した減価償却費

⇨ 前期までに損金にならなかった償却超過額

⇨ 法人税法の期首帳簿価額

演習　別表16（1）、別表16（2）を作成してみよう

Step 4 ▶償却限度額の計算 ＜平成19年3月31日以前取得分：旧定額法＞

Step 4では、旧定額法の償却限度額を計算します。

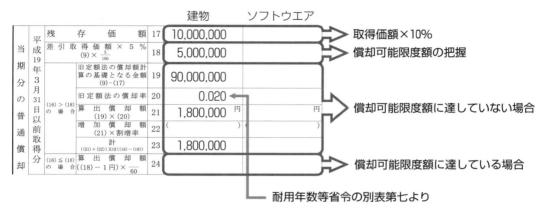

Step 5 ▶償却限度額の計算 ＜平成19年4月1日以後取得分：定額法＞

Step 5では、定額法の償却限度額を計算します。

			建物	ソフトウエア	
限度額等	平成19年4月1日以後取得分	定額法の償却額計算の基礎となる金額 (9)　25		1,500,000	
		定額法の償却率　26		0.200	◀ 耐用年数等省令の別表第八より
		算出償却額 (25)×(26)　27	円	300,000 円	
		増加償却額 (27)×割増率　28	( )	( )	
		計 (27)+(28)　29		300,000	

Step 6 ▶当期の償却限度額

Step 6では、当期の償却限度額を把握します。

Step 7 ▶償却不足額・償却超過額の計算

Step 7 では、損金経理した減価償却費と償却限度額を比較し、償却不足額・償却超過額を計算します。

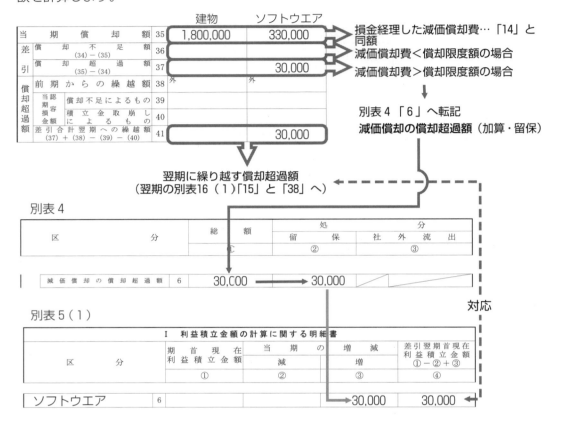

❶ 償却不足額について

償却不足額は、損金経理した減価償却費が償却限度額よりも少ない部分をいいます。

法人税法では、損金経理した金額までが損金となりますので、償却不足額は、原則、なんら考慮されません。ただし、前期から繰り越してきた償却超過額があるときには、別表4で減算をすることができます。

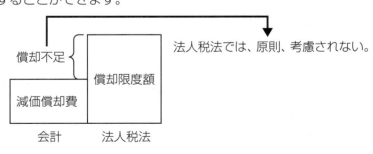

❷ 前期から繰り越してきた償却超過額がある場合の取扱い

たとえば、前期において償却超過額30が生じ、別表4で加算の申告調整をしたケースでみてみましょう。

前期末の法人税法の帳簿価額（未償却残高）は、B/Sの未償却残高100に損金にならなかった償却超過額30をプラスした金額130となります。

当期の決算では、損金経理した減価償却費20と償却限度額25を比較し、償却不足額5が生じました。

このとき、前期以前に償却超過額があるときは、償却不足額の範囲内で、損金とすることができます。

この償却超過額は、前期以前において費用として認識（損金経理）していますので、当期で生じた償却不足額までは損金とすべきものなのです。

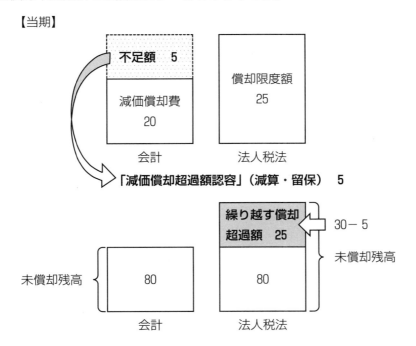

Ⅲ 法人税の申告書を作成してみよう

<別表の記載>

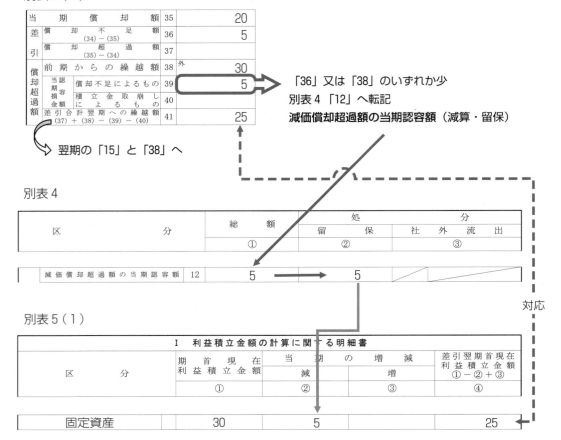

演習 別表16（1）、別表16（2）を作成してみよう

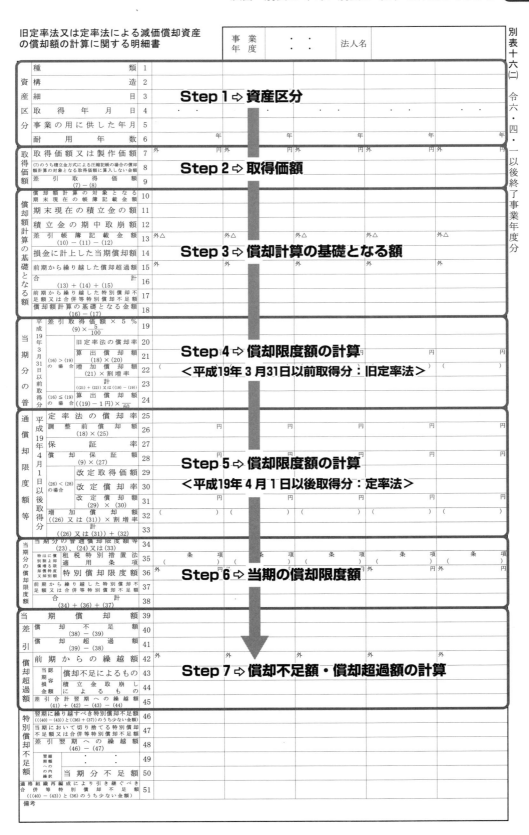

Step ① ▶資産区分

Step 1 では、耐用年数等省令から、資産の内容を記載します。

資産区分	種類	1	車両及び運搬具	器具及び備品
	構造	2	前掲のもの以外のもの	事務機器及び通信機器
	細目	3	自動車	複写機
	取得年月日	4	令2・9・	令6・4・
	事業の用に供した年月	5		令6年4月
	耐用年数	6	6 年	5 年

➤ 耐用年数等省令
➤ 別表第一から第六まで
➤ 期中に取得した場合のみ記載
➤ 耐用年数等省令の耐用年数

Step ② ▶取得価額

Step 2 では、取得価額を記載します。

			車両及び運搬品	器具及び備品
取得価額	取得価額又は製作価額	7	外 2,000,000 円	外 625,000 円
	(7)のうち積立金方式による圧縮記帳の場合の償却額計算の対象となる取得価額に算入しない金額	8		
	差引取得価額 (7)-(8)	9	2,000,000	625,000

Step ③ ▶償却計算の基礎となる額

Step 3 では、B/S の期末帳簿価額を調整し、法人税法の期首帳簿価額を把握します。

			車両及び運搬具	器具及び備品
償却額計算の基礎となる額	償却額計算の対象となる期末現在の帳簿記載金額	10	318,431	355,000
	期末現在の積立金の額	11		
	積立金の期中取崩額	12		
	差引帳簿記載金額 (10)-(11)-(12)	13	外△ 318,481	外△ 355,000
	損金に計上した当期償却額	14	159,718	270,000
	前期から繰り越した償却超過額	15	外	外
	合計 (13)+(14)+(15)	16	478,199	625,000
	前期から繰り越した特別償却不足額又は合併等特別償却不足額	17		
	償却額計算の基礎となる金額 (16)-(17)	18	478,199	625,000

➤ B/Sの期末帳簿価額
➤ 当期に損金経理した減価償却費
➤ 前期までに損金にならなかった償却超過額
➤ 法人税法の期首帳簿価額

Step 4 ▶償却限度額の計算 ＜平成19年3月31日以前取得分：旧定率法＞

Step 4 では、旧定率法の償却限度額を計算します。

			車両及び運搬具	器具及び備品	
当期分の普通償却分	平成19年3月31日以前取得分	差引取得価額 × 5／100 (9) × 5/100	19			→ 償却可能限度額の把握
		旧定率法の償却率	20		
		(16)＞(19)の場合 算出償却額 (18)×(20)	21	円	円	→ 償却可能限度額に達していない場合
		増加償却額 (21)×割増率	22	( )	( )
		計 ((21)+(22)又は((18)-(19))	23		
		(16)≦(19)の場合 算出償却額 ((19)-1円)×1/60	24			→ 償却可能限度額に達している場合

Step 5 ▶償却限度額の計算 ＜平成19年4月1日以後取得分：定率法＞

Step 5 では、定率法（250％定率法・200％定率法）の償却限度額を計算します。

			車両及び運搬具	器具及び備品	
通常償却限度額等	平成19年4月1日以後取得分	定率法の償却率	25	0.333	0.400	← 耐用年数等省令の別表第九又は第十より
		調整前償却額 (18)×(25)	26	159,240 円	250,000 円
		保証率	27	0.09911	0.10800
		償却保証額 (9)×(27)	28	198,220 円	67,500 円
		(26)＜(28)の場合 改定取得価額	29	478,199		→ 通常の計算による償却限度額「26」が償却保証額「28」に満たない場合
		改定償却率	30	0.334	
		改定償却額 (29)×(30)	31	159,718 円	円
		増加償却額 ((26)又は(31))×割増率	32	( )	( )
		計 ((26)又は(31))+(32)	33	159,718	250,000

Step 6 ▶当期の償却限度額

Step 6 では、当期の償却限度額を把握します。

		車両及び運搬具	器具及び備品	
当期分の償却限度額	当期分の普通償却限度額等 (23)、(24)又は(33)	34	159,718	250,000	→ 旧定率法及び定率法の償却限度額
	特別償却限度額の特例 租税特別措置法 適用条項	35	(条 項)	(条 項)
	特別償却限度額	36	外 円	外 円
	前期から繰り越した特別償却不足額又は合併等特別償却不足額	37		
	合計 (34)+(36)+(37)	38	159,718	250,000	→ 法人税法の償却限度額

Step 7 ▶償却不足額・償却超過額の計算

Step 7 では、損金経理した減価償却費と償却限度額を比較し、償却不足額・償却超過額を計算します。

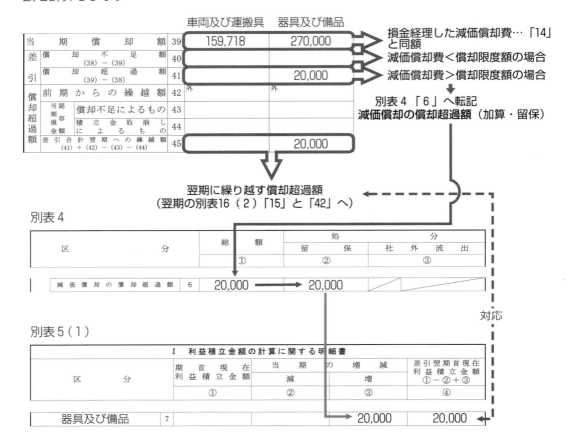

❸ 別表16（1）、16（2）の実務上の対応

会社は数多くの固定資産を所有していますから、実務上、すべての固定資産を別表に記載することは、非常に煩雑です。

そこで、別表と同様の情報が記載された減価償却に関する明細、いわゆる固定資産台帳を会社が保存している場合に限り、減価償却資産の種類ごと、かつ、償却方法の異なるごとに区分し、その合計額を別表に記載することができます。

具体的には、☐☐☐部分について記載を省略し、それ以外の部分は種類ごとの合計額を記載します。

ただし、租税特別措置法による特別償却を適用する場合には、その適用を受ける固定資産については、省略できません。

演習　別表16（1）、別表16（2）を作成してみよう　125

別表16(1)

旧定額法又は定額法による減価償却資産の償却額の計算に関する明細書

資産区分	種類	1	建物合計
	構造	2	
	細目	3	
	取得年月日	4	
	事業の用に供した年月	5	
	耐用年数	6	
取得価額	取得価額又は製作価額	7	外　　　円
	(7)のうち積立金方式による圧縮記帳の場合の償却額計算の対象となる取得価額に算入しない金額	8	
	差引取得価額 (7)-(8)	9	
帳簿価額	償却額計算の対象となる期末現在の帳簿記載金額	10	
	期末現在の積立金の額	11	
	積立金の期中取崩額	12	
	差引帳簿記載金額 (10)-(11)-(12)	13	外△
	損金に計上した当期償却額	14	
	前期から繰り越した償却超過額	15	
	合計 (13)+(14)+(15)	16	
当期分の普通償却限度額等	残存価額	17	
	差引取得価額×5% (9)×$\frac{5}{100}$	18	
平成19年3月31日以前取得分 (16)＞(18)の場合	旧定額法の償却額計算の基礎となる金額 (9)-(17)	19	
	旧定額法の償却率	20	
	算出償却額 (19)×(20)	21	円
	増加償却額 (21)×割増率	22	(　　　　)
	計 (21)+(22)又は(16)-(18)	23	
(16)≦(18)の場合	算出償却額 ((18)-1円)×$\frac{12}{60}$	24	
平成19年4月1日以後取得分	定額法の償却額計算の基礎となる金額 (9)	25	
	定額法の償却率	26	
	算出償却額 (25)×(26)	27	円
	増加償却額 (27)×割増率	28	(　　　　)
	計 (27)+(28)	29	

別表16(2)

旧定率法又は定率法による減価償却資産の償却額の計算に関する明細書

資産区分	種類	1	建物合計
	構造	2	
	細目	3	
	取得年月日	4	
	事業の用に供した年月	5	
	耐用年数	6	
取得価額	取得価額又は製作価額	7	外　　　円
	(7)のうち積立金方式による圧縮記帳の場合の償却額計算の対象となる取得価額に算入しない金額	8	
	差引取得価額 (7)-(8)	9	
償却額計算の基礎となる額	償却額計算の対象となる期末現在の帳簿記載金額	10	
	期末現在の積立金の額	11	
	積立金の期中取崩額	12	
	差引帳簿記載金額 (10)-(11)-(12)	13	外△
	損金に計上した当期償却額	14	
	前期から繰り越した償却超過額	15	
	合計 (13)+(14)+(15)	16	
	前期から繰り越した特別償却不足額又は合併等特別償却不足額	17	
	償却額計算の基礎となる金額 (16)-(17)	18	
当期分の普通償却限度額等	差引取得価額×5% (9)×$\frac{5}{100}$	19	
平成19年3月31日以前取得分 (16)＞(19)の場合	旧定率法の償却率	20	
	算出償却額 (18)×(20)	21	円
	増加償却額 (21)×割増率	22	(　　　　)
	計 ((21)+(22))又は((18)-(19))	23	
(16)≦(19)の場合	算出償却額 ((19)-1円)×$\frac{12}{60}$	24	
平成19年4月1日以後取得分	定率法の償却率	25	
	調整前償却額 (18)×(25)	26	円
	保証率	27	
	償却保証額 (9)×(27)	28	円
(26)＜(28)の場合	改定取得価額	29	
	改定償却率	30	
	改定償却額 (29)×(30)	31	円
	増加償却額 ((26)又は(31))×割増率	32	(　　　　)
	計 ((26)又は(31))+(32)	33	
当期分	当期分の普通償却限度額等 (23)、(24)又は(33)	34	

【減価償却資産の種類（減価償却資産の耐用年数等に関する省令）】

　　建物、建物附属設備、構築物、船舶、航空機、機械装置、車両及び運搬具、工具、器具及び備品、機械及び装置、ソフトウエアなど

利益調整で使われやすい減価償却費

　減価償却費は現金の支出を伴わない費用のため、利益を調整することに使われやすいという特徴があります。

　たとえば、会社が赤字決算となりそうなときには、あえて減価償却費を計上せず、赤字を少なくしようとすることがあります。

　法人税法では、損金経理した減価償却費だけを損金と認めますので、会社が減価償却費を全く計上しなくても、法人税を計算する上で何ら問題はないのです。

　ところが、正しい財政状態及び経営成績を把握するためには、会計上、減価償却は、毎期、規則正しく行わなければなりません。

　では、会社が減価償却費を調整しているかどうかを見分けるためには、どうすれば良いのでしょう。

　それは、別表16（1）と別表16（2）の償却不足額を見れば分かるのです。

7 少額の減価償却資産の処理を マスターしよう

（1）資産と費用の区分

会社が資産を購入したとき、会計処理を固定資産とするのか、又は費用とするのか、どのように判断をすれば良いのでしょうか。

まずは、自社の経理規程などを確認してください。

経理規程は決算書を作成するための社内の決まりごとですから、経理担当者独自の判断ではなく、社内のルールが最優先です。

社内のルールで、「取得価額5万円超のものを固定資産として計上する」とあれば、いくら費用に計上して節税になるとしても、取得価額5万円超のものを固定資産に計上して、減価償却をしなければなりません。

（2）法人税法の少額の減価償却資産

法人税法では、次のような減価償却資産については、使用したときに取得価額全額を損金とすることが認められています。

① 使用可能期間が1年未満であるもの

② 取得価額が10万円未満であるもの

取得価額が10万円未満であるかどうかは、通常1単位として取引される単位ごとに判定します。たとえば、応接セットのように、ソファー単品ではなく、1セットで取引されるようなものは、セットの合計額で判定を行います。

ここの注意点は、2つあります。

まず、使用しているものが対象となるということです。

ですから、期末において未使用のものは貯蔵品などとなり、いくら少額であっても損金とすることはできません。

2つ目は、取得価額全額を損金経理することです。

会計処理は、資産計上をして減価償却を行っているにもかかわらず、取得価額全額を別表4で減算の申告調整することはできません。

なお、令和4年4月1日以後に取得等をする少額の減価償却資産（取得価額が10万円未満であるものに限ります。）の対象資産から、貸付けの用に供した資産（貸付けが主要な事業として行われている場合を除きます。）が除外されました（p.136【コラム】参照）。

●（３）一括償却資産とは

法人税法には、一括償却資産というものがあります。

以前の法人税法では、少額の減価償却資産に該当する取得価額の基準が、20万円未満でした。

ところが、平成10年度の税制改正により、その基準が10万円未満に引き下げられ、今日に至っています。

そのとき、新たに設けられた制度が、**一括償却資産**という考え方です。

会計の用語ではありませんので、貸借対照表の科目に一括償却資産という科目はありません。

もし、貸借対照表に一括償却資産という科目があれば、会計と税法の考え方が混在してしまっていることになります。

では、一括償却資産とは、どのようなものでしょうか。

法人税法では、

- 取得価額が20万円未満の減価償却資産

については、

- 使用してから3年間にわたり、均等に損金とする

ことが認められています。

つまり、期中で購入した取得価額20万円未満の減価償却資産を集計し、その合計額を、一事業年度当たり3分の1ずつ、損金にしていきます。

この制度を適用する資産のことを一括償却資産といい、その特徴は次のとおりです。

① 一括償却資産を選択した場合には、個々の固定資産の管理は不要

ただし、別表に記載するため、事業年度毎に取得価額の合計額を把握しておく必要があります。

② 期中取得の場合の月数按分は不要

③ 損金経理が必要

④ 除却処理はできない

⑤ 別表16（8）の添付

個々の固定資産の管理が必要ないことや実際に廃棄をしても除却処理ができないことから、会計では、固定資産として認識すべきものではないことが分かります。

たとえば、取得価額18万円のパソコンを購入し、全額費用計上した場合の法人税法の取扱いをみてみましょう。

【1年目】

費用に計上した金額は18万円です。一方、法人税法で損金となるワク（限度額）は、6万円（18万円×1／3）です。

そのため、ワクを超えた12万円を別表4で加算します。

【2年目及び3年目】

費用に計上した金額はゼロです。一方、法人税法では損金となるワクがそれぞれ6万円ずつあります。

そのため、1年目で加算した12万円を、2年目及び3年目でそれぞれ6万円ずつ、別表4で減算していきます。

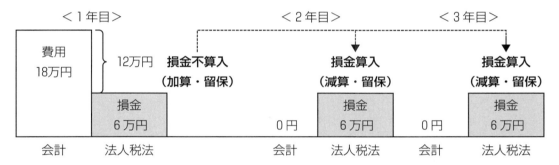

なお、令和4年4月1日以後に取得等をする一括償却資産の対象資産から、貸付けの用に供した資産（貸付けが主要な事業として行われている場合を除きます。）が除外されました（p.136【コラム】参照）。

（4）減価償却資産を取得したときのまとめ

減価償却資産を取得したときの会計処理と法人税法の取扱いをまとめてみましょう。

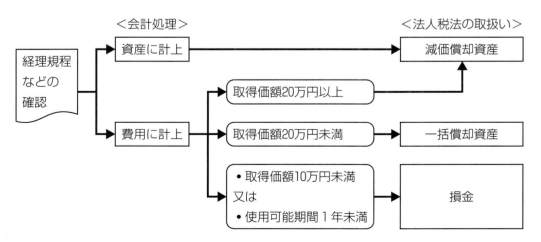

演習 別表16（8）を作成してみよう

　当社の経理規程では、取得価額が20万円未満の減価償却資産は、全額費用に計上することとしています。

　また、当期の備品費（費用）の総勘定元帳は次のとおりです。なお、期末に未使用のものはありません。

備　品　費

（単位：円）

No.	日付	相手科目	摘要	借方	貸方	残高
1	5／1	預金	パソコン	180,000		180,000
2	8／20	預金	書棚	150,000		330,000
3	10／15	預金	エアコン	90,000		420,000
4	3／15	未払金	プリンター	120,000		540,000
			合計	540,000	0	540,000

（注）過年度の一括償却資産の取得価額合計は次のとおりであり、いずれも購入時に費用に計上しています。

　令和5年3月期）取得価額合計　600,000円　　損金算入限度超過額の繰越額　200,000円
　令和6年3月期）取得価額合計　540,000円　　損金算入限度超過額の繰越額　360,000円

演習　別表16（8）を作成してみよう　131

一括償却資産の損金算入に関する明細書

事業年度	： ：	法人名	

別表十六(八)　令六・四・一以後終了事業年度分

								(当期分)
事業の用に供した事業年度	1	・　・	・　・	・　・	・　・	・　・	・　・	
同上の事業年度において事業の用に供した一括償却資産の取得価額の合計額	2	円	円	円	円	円	円	

Step 1 ⇨ 事業年度ごとの取得価額合計

当期の月数（事業の用に供した事業年度の中間申告の場合は、当該事業年度の月数）	3	月	月	月	月	月	月	
当期分の損金算入限度額 $(2)\times\dfrac{(3)}{36}$	4	円		円	円	円	円	

Step 2 ⇨ 損金算入限度額の計算

当期損金経理額	5							
差引	損金算入不足額 $(4)-(5)$	6						
	損金算入限度超過額 $(5)-(4)$	7						
損金算入限度超過額	前期からの繰越額	8						
	同上のうち当期損金認容額（(6)と(8)のうち少ない金額）	9						
	翌期への繰越額 $(7)+(8)-(9)$	10						

Step 3 ⇨ 損金算入限度超過額・損金認容額の計算

Step 1 ▶事業年度ごとの取得価額合計

Step 1 では、事業年度ごとに、その事業年度中に取得した一括償却資産の取得価額合計額を記載します。

個々の取得価額を記載する必要はありません。

設問では、当期の備品費のうち、一括償却資産に該当する取得価額の合計額は450,000円となります。

エアコンは取得価額が10万円未満ですから、法人税法も全額損金となります。

したがって、一括償却資産に含める必要はありません。

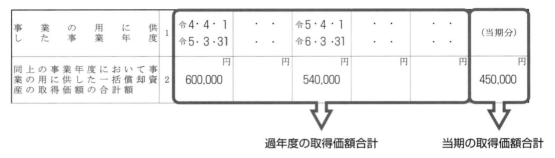

Step 2 ▶損金算入限度額の計算

Step 2 では、当期に損金となるワク（限度額）を計算します。

Step 3 ▶損金算入限度超過額・損金認容額の計算

Step 3 では、別表4で加算・減算する金額を計算します。

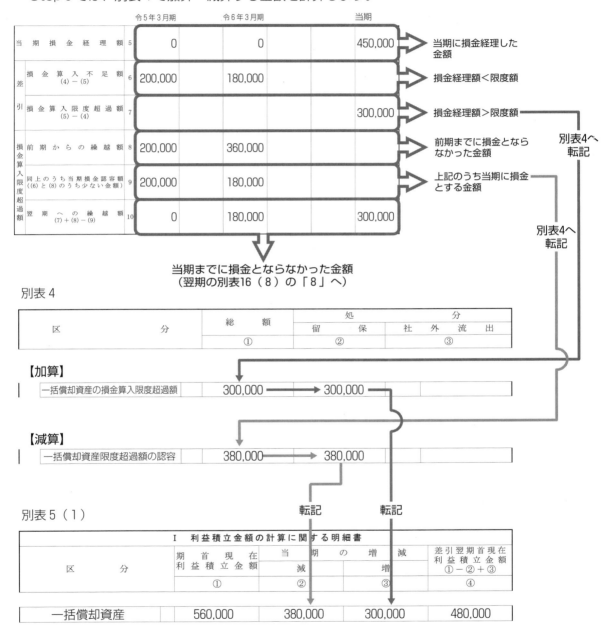

（5）30万円未満の少額減価償却資産
（中小企業者の少額減価償却資産の特例）

税法では、中小企業向けの措置として、取得価額が30万円未満の減価償却資産について、取得したときに取得価額の全額を損金とすることのできる特例があります。

ただし、この特例を適用するためには、次の要件を満たさなければなりません。

① 対象法人

対象法人は、青色申告を行っている中小企業者のうち常時使用する従業員の数が500人以下の法人です。

中小企業者とは、資本金が１億円以下で、かつ、大規模法人に支配されていない法人のことをいいます。

大規模法人は次の法人が該当します。

　　１）資本金１億円超の法人

　　２）資本等を有しない法人のうち従業員数が1,000人超の法人

　　３）大法人（資本金５億円以上の法人等）による完全支配関係のある法人

　　４）完全支配関係のある複数の大法人に発行済株式の全部を保有されている法人

ただし、中小企業投資育成株式会社は除かれています。

大規模法人に支配されているとは、次のいずれかの状況にあることをいいます。

　　１）大規模法人に株式の２分の１以上を所有されている

　　２）複数の大規模法人に株式の３分の２以上を所有されている

持株割合の算定は、発行済株式総数から自己株式を除きます。上記のいずれかに該当した場合には、資本金が１億円以下であっても、この特例は適用できません。

また、適用除外事業者（p.75 （7）❷参照）も特例の適用を受けることができません【次頁図参照】。

② 取得価額

一の減価償却資産の取得価額が30万円未満のものが対象です。

ただし、適用できる金額は、１年当たり取得価額の合計300万円までが限度となります。

③ 適用期間

令和８年３月31日までに取得し、使用を開始したものが対象となります。

④ 会計処理

取得価額全額を損金経理しなければなりません。

⑤ 別表16（7）と適用額明細書（＊）の添付

別表16（7）と適用額明細書に記載し、申告書に添付する必要があります。

なお、令和4年4月1日以後に取得等をする中小企業者の少額減価償却資産の特例の対象資産から、貸付けの用に供した資産（貸付けが主要な事業として行われている場合を除きます。）が除外されました（p.136【コラム】参照）。

（＊）適用額明細書とは

租税特別措置に関し、適用の実態を把握するための調査及び国会への報告などを行うために、「租税特別措置の適用状況の透明化等に関する法律」が制定されました。

この法律の目的は、政策的に設けられた税制の特例制度の適用実態を明らかにし、その効果を検証することにあります。

これに伴い、平成23年4月1日以後に終了する事業年度より、租税特別措置法の適用をする場合には、法人税の申告書に「適用額明細書」を添付する必要があります。

適用額明細書には、租税特別措置法のうち、法人税又は所得金額を減少させる特例を記載します。

【図】

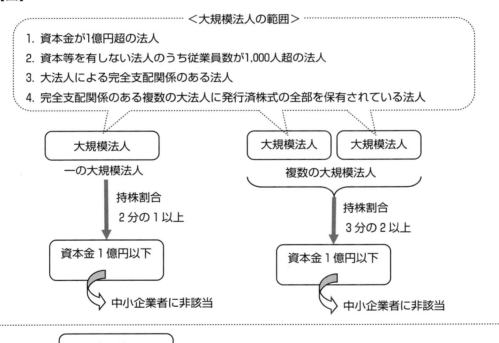

主要な事業として行われる貸付け

　令和4年度税制改正により、次の制度の対象資産から、貸付の用に供した資産が除かれることとなりました。令和4年4月1日以後に取得等をする資産から適用されます。

・少額の減価償却資産のうち、取得価額が10万円未満の資産
・一括償却資産
・中小企業者の少額減価償却資産

　改正の趣旨は、節税を目的として、自らが行う事業で使用しない少額な資産（ドローン、建設用資材、LED照明など）を大量に取得し、一方、その資産を他者に貸付け、貸付期間にわたり利用料を受け取ることにより、損金と益金の計上時期の相違を利用した節税スキームが、近年増加傾向にあったためです。

　ただし、貸付けが主要な事業として行われている場合、たとえば、リース業を主要な事業として行っているなどの場合には、従来どおり、少額の減価償却資産の対象となります。

　その他、貸付けが主要な事業として行われている場合には、下記に掲げる場合が該当します。

① 特定関係（＊1）がある法人の事業の管理及び運営を行う場合
　（例）グループ経営の一環として関連会社に資産を貸し付ける場合
　（＊1）特定関係とは、一の者が法人の事業の経営に参加し、事業を実質的に支配し、又は株式若しくは出資を有する場合におけるその一の者と法人との関係、一の者との間に当事者間の関係がある法人相互の関係その他これらに準ずる関係をいいます。

② 内国法人に対して資産の譲渡又は役務の提供を行う者のその資産の譲渡又は役務の提供の事業の用に専ら供する資産を貸し付ける場合
　（例）協力会社などの取引先に資産を貸し付ける場合

③ 継続的にその内国法人の経営資源（＊2）を活用して行い、又は行うことが見込まれる事業として資産を貸付ける場合
　（＊2）経営資源とは、事業の用に供される設備（貸付けの用に供する資産を除きます。）、事業に関する従業者の有する技能又は知識（租税に関するものを除きます。）その他これらに準ずるものをいいます。
　（例）節税・租税回避等を目的としない通常の事業活動等で資産を貸し付ける場合

④ 内国法人が行う主要な事業に付随して資産を貸付ける場合
　（例）不動産賃貸業者が賃貸物件に付随して、備品（家具や家電）を貸し付ける場合

演習 別表16（7）を作成してみよう

　中小企業者の少額減価償却資産の特例制度の適用を受ける減価償却資産は、下記のとおりです。

　当社は中小企業向けの優遇措置の適用除外事業者に該当しません。

＜固定資産減価償却内訳表（抜粋）＞

（単位：円）

No.	内容	償却方法	取得年月	耐用年数	償却率	取得価額	期首帳簿価額	減価償却額	期末帳簿価額	備考
1	パソコン	定率	令7.1	4	0.500	250,000		250,000	0	中小特例適用
2	シュレッダー	定率	令7.2	5	0.400	280,000		280,000	0	中小特例適用

（注）減価償却額は、損益計算書の減価償却費に含まれています。

＜別表第一　機械及び装置以外の有形減価償却資産の耐用年数表（抜粋）＞

種類	構造又は用途	細目	耐用年数
器具及び備品	2　事務機器及び通信機器	電子計算機　**パーソナルコンピュータ（サーバー用のものを除く）**　　その他のもの	4　　5
		複写機、計算機（電子計算機を除く。）金銭登録機　タイムレコーダーその他これらに類するもの	5
		その他の事務機器	5

Ⅲ　法人税の申告書を作成してみよう

少額減価償却資産の取得価額の損金算入の特例に関する明細書	事業年度	： ：	法人名				別表十六（七）　令六・四・一以後終了事業年度分

資産区分	種　　類	1					
	構　　造	2					
	細　　目	3					
	事業の用に供した年月	4					
取得価額	取得価額又は製作価額	5	円	円	円	円	円
	法人税法上の圧縮記帳による積立金計上額	6					
	差引改定取得価額　(5)−(6)	7					

Step1⇨資産の区分

Step2⇨資産の取得価額

資産区分	種　　類	1					
	構　　造	2					
	細　　目	3					
	事業の用に供した年月	4					
取得価額	取得価額又は製作価額	5	円	円	円	円	円
	法人税法上の圧縮記帳による積立金計上額	6					
	差引改定取得価額　(5)−(6)	7					

資産区分	種　　類	1					
	構　　造	2					
	細　　目	3					
	事業の用に供した年月	4					
取得価額	取得価額又は製作価額	5	円	円	円	円	円
	法人税法上の圧縮記帳による積立金計上額	6					
	差引改定取得価額　(5)−(6)	7					

当期の少額減価償却資産の取得価額の合計額　((7)の計)		円

Step3⇨取得価額の合計額

演習　別表16（7）を作成してみよう　**139**

Step ゼロ　▶中小企業者の判定

別表を記載する前に、会社が対象法人に該当するか否かを確認することが必要です。

Step 1　▶資産の区分

Step 1 では、特例の適用を受ける資産の区分を記載します。

資産区分	種　　　類	1	器具及び備品	器具及び備品
	構　　　造	2	事務機器 及び通信機器	事務機器 及び通信機器
	細　　　目	3	パーソナル コンピュータ	その他の 事務機器
	事業の用に供した年月	4	令7．1	令7．2

耐用年数等省令から引用

使用を開始した年月

Step 2　▶資産の取得価額

Step 2 では、特例の適用を受ける資産の取得価額を記載します。

取得価額が30万円以上のものは、この特例の適用を受けることができません。

取得価額	取得価額又は製作価額	5	250,000 円	280,000 円
	法人税法上の圧縮記帳による 積　立　金　計　上　額	6		
	差引改定取得価額　(5)－(6)	7	250,000	280,000

【ポイント】
一の減価償却資産の取得価額が
30万円未満となっているか

Step 3　▶取得価額の合計額

Step 3 では、特例の適用を受ける資産の取得価額の合計額を記載します。

ここでは、次の2点を確認しましょう。

- 合計額が1年当たり300万円以下となっていること
- 取得価額が損金経理されていること

設問では、取得価額の合計が53万円で、取得価額は減価償却費として費用計上されています。

当　期　の　少　額　減　価　償　却　資　産　の　取　得　価　額　の　合　計　額 （(7)の計）	8	530,000 円

140   Ⅲ   法人税の申告書を作成してみよう

Step プラス ▶適用額明細書の記載

適用額明細書に特例の適用を受ける条文番号と適用額を記載します。

「事業種目」「業種番号」「租税特別措置法の条項」「区分番号」は、国税庁のウェブサイトに掲載されている『適用額明細書の記載の手引』より調べます。

別記様式   F B 4 0 1 1

令和　年　月　日
麹町 税務署長殿

自平成(令和) 0 6 年 0 4 月 0 1 日
至平成(令和) 0 7 年 0 3 月 3 1 日

事業年度分の適用額明細書
(当初提出分・ 再提出分)

納　税　地	東京都千代田区大手町〇〇〇 電話(00) 0000 - 0000	整理番号	1 2 3 4 5 6 7 8
(フリガナ)	ステップアップ	提出枚数	1 枚　うち 1 枚目
法　人　名	ステップアップ株式会社	事業種目	機械器具卸売業　業種番号 3 6
法 人 番 号	1 2 3 4 5 6 7 8 9 0 1 2 3	提出年月日	令和　年　月　日
期末現在の資本金の額又は出資金の額	5 0 0 0 0 0 0 0 円		
所得金額又は欠損金額	円		

租 税 特 別 措 置 法 の 条 項	区 分 番 号	適 用 額	
第 67 条の5 第 1 項第　号	0 0 2 7 7	5 3 0 0 0 0	⇒ 別表16 (7)「8」の金額
第　条　第　項第　号			
第　条　第　項第　号			
第　条　第　項第　号			
第　条　第　項第　号			
第　条　第　項第　号			
第　条　第　項第　号			
第　条　第　項第　号			
第　条　第　項第　号			
第　条　第　項第　号			
第　条　第　項第　号			
第　条　第　項第　号			
第　条　第　項第　号			
第　条　第　項第　号			
第　条　第　項第　号			
第　条　第　項第　号			
第　条　第　項第　号			
第　条　第　項第　号			
第　条　第　項第　号			

8．税金の処理をマスターしよう　141

8　税金の処理をマスターしよう

（1）会社の負担する代表的な税金

　冒頭の繰返しになりますが、税金には、誰が税金を課すのかにより2つに分類されます。

　国が課す税金のことを**国税**といい、都道府県や市町村である地方公共団体が課す税金のことを**地方税**といいます。

　それでは、会社が負担をする代表的な税金にはどのようなものがあるのかみてみましょう。

国税	地方税	内容
法人税	住民税	会社の所得（モウケ）に課税する税金
地方法人税		
特別法人事業税 （地方法人特別税）	事業税	会社の事業活動に課税する税金
－	固定資産税	土地・家屋の所有に課税する税金
－	償却資産税	家屋、自動車以外の有形減価償却資産の所有に課税する税金
－	自動車税	自動車の所有に課税する税金
－	事業所税	事業所の床面積及び従業員の給与に課税する税金
印紙税	－	一定の契約書、領収書などの文書に課税する税金
延滞税	延滞金	税金の滞納による遅延利息
利子税	延滞金	申告期限の延長により、申告期限から延長した期限までの間の約定利息
加算税	加算金	修正申告、更正などによる制裁金

（2）税金の会計処理と法人税法の取扱い

　会計では、一般的に、会社の利益に対して課税する税金は、**法人税、住民税及び事業税**、それ以外の税金は**租税公課**という勘定科目で費用計上を行います。

　これに対し、これら税金の法人税法の取扱いは、次のとおりです。

国税	地方税	会計処理	法人税法の取扱い
法人税	**住民税**	法人税、住民税及び事業税	**損金とならない**
地方法人税			
特別法人事業税（地方法人特別税）	事業税		損金
－	固定資産税	租税公課	損金
－	償却資産税		
－	事業所税		損金
－	自動車税		損金
印紙税	－		損金
延滞税	**延滞金**		**損金とならない**
利子税	延滞金		損金
加算税	**加算金**		**損金とならない**

　グレー部分の税金は、損金となりません。

　法人税や住民税は、会社の所得に対して課税される税金であることから、損金とすることはできません。

　また、延滞税や加算税などの税金は、納期限を過ぎて税金を納めることや当初に申告した金額が過少であったことによるペナルティです。

　そのため、これらの税金を支払い、会計上、費用に計上した場合には、別表4で加算の申告調整をしなければなりません。

不正行為には、法人税法も厳しい

　会社の法令遵守（コンプライアンス）が求められている昨今では、法人税法も法令違反に対して厳しい規定を設けています。

　すなわち、会社が負担した不正行為などに係る費用は、損金となりません。

　延滞税や加算税などのほかに、たとえば、次の費用が該当します。

- 過怠税（印紙を貼付しなかったことによる制裁金）
- 交通反則金などの罰金及び科料並びに過料
- 独占禁止法による課徴金及び延滞金
- 金融商品取引法による課徴金及び延滞金
- 刑法に規定する賄賂など

日本の機関が課すものだけでなく、外国の機関などが課す上記に類するものも含まれます。

（3）法人税と住民税の申告

　法人税は国が課税する税金です。一方、住民税には、都道府県が課税する**都道府県民税**と市町村が課税する**市町村民税**があります。

　そして、法人税と住民税の申告には、**中間申告**と**確定申告**の2種類があります。

❶ 中間申告

　中間申告は、期首から6ヶ月を経過した日から2ヶ月以内に中間申告書を提出し、税金を納めなければならない制度です。

　納める金額は、次のいずれかを会社が選択することができます。

- 前期の税額の半分（前年度実績による予定申告）
- 期首から6ヶ月間の実績により計算した税額（仮決算による中間申告）

【参考】
　前年度実績による予定申告で納める法人税額が10万円以下の場合、中間申告は不要です。
　また、仮決算による場合、税額は前期の税額の半分を超えて申告することはできません。

❷ 確定申告

　確定申告は、一事業年度の決算に基づき税額を計算し、期末の翌日から2ヶ月以内に確定申告書を提出し、税金を納めなければならない制度です。

　一事業年度の決算に基づいて計算された税額のことを、いわゆる**年税額**といいます。

　確定申告では、年税額から中間申告で納付した税額を差し引いた金額を納付します。

　年税額よりも中間申告で納付した税額の方が大きい場合には、税金は還付されます。

確定申告書の提出期限について

　確定申告における法人税の計算は、株主総会において承認を受けた決算に基づいて行われます。3月決算の上場会社では、一般的に、株主総会は6月に開催されています。すると、会社は、確定申告期限である期末の翌日から2ヶ月以内に、確定申告書を提出することができません。そこで、申告期限の延長制度が設けられています。

　会社の定款で、「定時株主総会の開催は期末日後3ヶ月以内」となっている場合には、あらかじめ、申請書を税務署に提出することにより、申告期限が1ヶ月延びるのです。平成29年度税制改正では、株主総会開催日が集中する問題を解消するために、会計監査人を置いている一定の法人は、申告期限を最大4ヶ月延長することができることとなりました。ちなみに、中間申告には、株主総会の承認は必要ないことから、申告期限の延長制度はありません。

（4）法人税と住民税の別表4の調整

3月決算の会社のケースで、法人税と住民税の別表4における申告調整をみてみましょう。

❶ 中間申告

中間申告により、法人税と住民税を納付した場合の会計処理は、通常、納付時に、費用に計上します。

法人税法では、法人税と住民税は損金となりませんので、別表4で加算の申告調整を行います。

❷ 確定申告

次に、確定申告の場合をみてみましょう。

当期の所得を計算し、法人税・住民税の年税額が900算出されました。

中間申告において、すでに400納めていますので、確定申告により納めるべき法人税・住民税は500です。

この500の会計処理は、当期の費用でしょうか、それとも翌期の費用でしょうか。

会計の考え方は発生主義ですから、当期の所得に対応させます。

そのため、決算において、確定申告により納付すべき500の未払法人税等を計上し、同額を費用に計上します。

これに対し、法人税法では、納税義務の確定していない税金、いわゆる税金の見積りは債務が確定していないため、損金とすることはできません。

ちょうど、引当金と同じイメージです。

この見積り計上した未払法人税等を、法人税法では、**納税充当金**といいます。

したがって、別表4で500の加算の申告調整を行います。

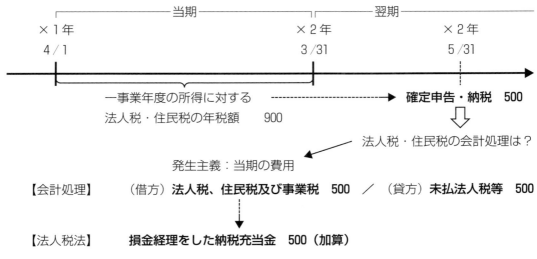

では、翌期に、確定申告による税金500を納付したときの処理をみてみましょう。

会計処理は、未払法人税等を取り崩していますので、費用は発生していません。

一方、法人税法では、法人税と住民税は損金となりませんので、別表4の申告調整はありません。

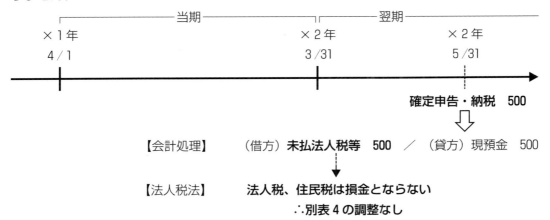

（5）事業税の事業活動とは

事業税は、会社の事業活動を課税の対象としています。

では、事業活動とは、いったいどのような要素なのでしょうか。

会社の期末資本金の大きさにより、その要素が変わります。

資本金が１億円以下の場合、事業活動の要素は、会社の所得（モウケ）となります。

一方、資本金が１億円超の場合、事業活動の要素は、会社の所得・付加価値・資本の３つです。

付加価値とは、会社の負担する人件費、賃借料、支払利子及びその事業年度の損益の合計額のことをいいます。そして、この３つの要素により課税することを外形標準課税といいます。

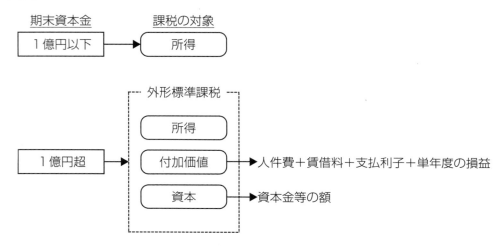

ちなみに、電気供給業、ガス供給業など特定の事業を行う法人は、別途、事業税の課税対象が定められています。

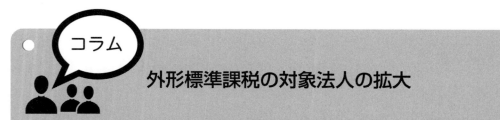

外形標準課税の対象法人の拡大

外形標準課税は利益の有無にかかわらず課税され、また、計算に要する事務負担も少なくありません。

このようなことから、資本金１億円超の会社が減資して、外形標準課税の対象から外れるようにすることが起こりました。

その他、企業経営の形態も持株会社を中心として、その100％子会社である事業会社の資本金は１億円以下に設定することがあります。

そこで、令和6年度税制改正では、大企業の減資や100％子法人等への対応として、下記①及び②の改正が行われています。

① その事業年度の前事業年度に外形標準課税の対象であった法人が資本金1億円以下になった場合、資本金と資本剰余金の合計額が10億円を超えるときは、外形標準課税の対象とする。（令和7年4月1日以後に開始する事業年度から適用）

② 資本金と資本剰余金の合計額が50億円を超える法人等（その法人が非課税又は所得割のみで課税される法人等である場合を除きます。）の100％子法人等のうち、資本金と資本剰余金の合計額が2億円を超えるものは、原則、外形標準課税の対象とする。（令和8年4月1日に開始する事業年度から適用）

コラム　外形標準課税と会計処理

　会計では、損益計算書の利益をベースとして課税する税金は、「法人税、住民税及び事業税」として会計処理し、損益計算書の税引前当期純利益の下に表示されます。

　利益がベースである所得を課税対象とした事業税は、法人税・住民税と同様に、「法人税、住民税及び事業税」として会計処理を行います。

　これに対して、付加価値や資本を課税対象とした事業税は、利益をベースとしたものではありません。

　そのため、営業費用項目として「租税公課」で会計処理を行います。

（6）事業税の申告

　住民税と同様に、事業税の申告にも中間申告と確定申告があります。
　実務上、事業税の申告書と都道府県民税の申告書は一体となっており、都道府県民税と合わせて申告、納付を行います。

（7）事業税の損金となるタイミング

　法人税法では、事業税は住民税と異なり、損金となります。
　ただし、費用に計上するタイミングと損金となるタイミングには、ズレがあります。

会計上、事業税の費用に計上するタイミングは、発生主義です。

つまり、一事業年度の所得や付加価値などを課税対象とする事業税は、その所得や付加価値が生じた事業年度に費用に計上します。

これに対し、法人税法における事業税が損金となるタイミングは、原則、納税義務が確定したとき、すなわち、申告書を提出した日となります。

それでは、3月決算の会社のケースで、事業税の別表4の調整についてみてみましょう。

❶ 中間申告

中間申告により、事業税を納付した場合の会計処理は、通常、納付時に、費用に計上します。

法人税法では、申告書を提出した日に損金となりますので、別表4の申告調整はありません。

❷ 確定申告の場合

次に、確定申告の場合をみてみましょう。

当期の所得を計算し、事業税の年税額が500と算出されました。

中間申告において、すでに200納めていますので、確定申告により納めるべき事業税は300です。

会計の考え方は発生主義ですから、当期の所得に対応させます。

そのため、決算において、確定申告により納付すべき300の未払法人税等を計上し、同額を費用に計上します。

これに対し、法人税法では、（4）❷と同様に、納税義務の確定していない税金は、損金とすることはできません。

確定申告の納税義務は、申告書を提出する翌期に確定します。

したがって、別表４で300の加算の申告調整を行います。

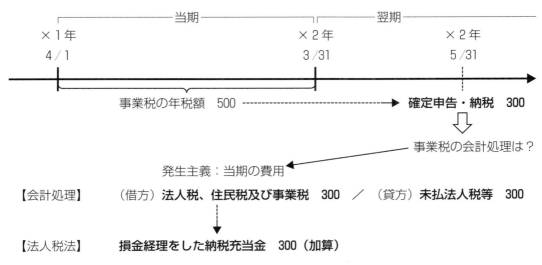

では、翌期に、確定申告による事業税300を納付したときの処理をみてみましょう。

会計処理は、未払法人税等を取り崩していますので、費用は発生していません。

一方、法人税法では、申告書を提出した日の損金となります。

したがって、翌期の別表４で300の減算の申告調整を行います。

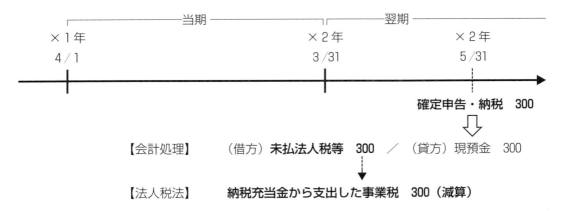

このように費用に計上するタイミングと損金となるタイミングのズレは、会社が申告書を提出して納税する税金について起こります。たとえば、事業税のほかに事業所税があります。

（８）地方法人特別税と特別法人事業税について

平成20年度税制改正により、消費税など税体系の抜本的な改革が行われるまでの間の暫定措置として、平成20年10月１日以後に開始する事業年度から、新たに地方法人特別税が設けられました。

新たな税制といっても、増税ではなく、改正前の事業税の一部を分離したものです。

地方税である事業税は、会社の事業所や工場などの拠点がある都道府県の財源となります。

すると、会社の拠点の有無やそこで働く人の数によって、都道府県間の財源にバラツキが生じてしまいます。

このバラツキを是正するための税制が、地方法人特別税なのです。

改正前の事業税の一部を地方法人特別税と名称を変え、国がいったん取りまとめた上、都道府県に再分配を行います。

地方法人特別税は、消費税の標準税率の引上げ（8％から10％へ）のタイミングと合わせて、令和元年9月30日以前に開始する事業年度をもって廃止されました。

ところが、平成31年度税制改正において、特別法人事業税が創設され、令和元年10月1日以後に開始する事業年度より適用されています。

地方法人特別税も特別法人事業税も国税ですが、実務上、その計算は事業税の申告書で行います。

また、納税も事業税と一緒に、会社が都道府県に納付し、都道府県が国に払込むこととなっています。

法人税法における地方法人特別税と特別法人事業税の取扱いは、事業税と同じです。

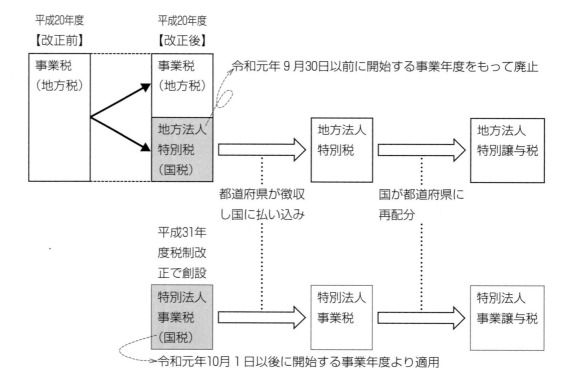

（9）地方法人税について

　平成26年度税制改正により、地域間の税源の偏在性を是正し財政力の格差縮小を図ることを目的として、法人住民税（法人税割）の一部を地方交付税の原資とするために、地方法人税が創設され、平成26年10月１日以後に開始する事業年度から適用されています。

　従来、地方公共団体独自の財源であった住民税を国の財源とし、地方交付税に充てるものです。

　法人税法における地方法人税の取扱いは、法人税と同様となります。

　実務上、地方法人税は法人税申告書に組み込まれており、国（税務署）に申告、納税を行います。

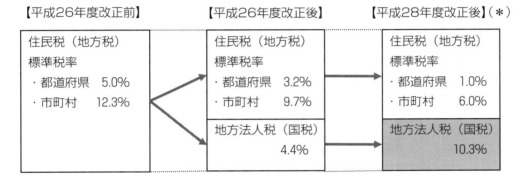

（＊）消費税の標準税率の引き上げ（８％→10％）時期に合わせて、令和元年10月１日以後に開始する事業年度より、住民税の標準税率が引き下げられ、地方法人税の税率が引き上げられています（p.154（11）❷参照）。

（10）復興特別税について

❶　復興特別税の創設

　東日本大震災からの復興を図ることを目的として、復興施策に必要な財源を確保するために、「東日本大震災からの復興のための施策を実施するために必要な財源の確保に関する特別措置法」が制定され、復興特別法人税及び復興特別所得税が創設されました。

　いずれの税金も臨時的な増税で、課税する期間が定められています。

❷　復興特別法人税

　復興特別法人税額は、原則、法人税額に10％を乗じて計算した金額です。

　ただし、課税対象となる事業年度は、平成24年４月１日以後に開始する事業年度から２年間（＊）です。

　したがって、３月決算の法人では、通常、平成26年３月期までとなります。

（＊）創設当初は３年間でしたが、平成26年度税制改正により１年前倒して、廃止となりました。

❸　復興特別所得税

　復興特別所得税額は、原則、所得税額に2.1%を乗じて計算した金額です。

　課税対象となる期間は、平成25年分から令和19年分までの25年間となります。

　金融機関からの受取利子や会社からの剰余金の配当などについては、源泉徴収された後の金額を受け取ります。

　このときの源泉徴収税額に復興特別所得税が含まれています（p.173参照）。

8．税金の処理をマスターしよう 153

● （11）税制改正と税率一覧

❶ 税制改正による税金の創設と税率の変更

過年度の税制改正では、新たな税金の創設や税率の変更が頻繁に行われていました。

そこで、所得に対して課税される税金について、これらの改正を概観してみましょう。

税目＼年度	平成24年度	平成26年度	平成27年度	平成28年度	平成30年度	平成31年度
法人税	・税率の引下げ（30%→25.5%）（＊1） ・軽減税率の引下げ（18%→15%）（＊1）	－	・税率の引下げ（25.5%→23.9%）（＊5）	・税率の引下げ（23.9%→23.4%）（＊6）	・税率の引下げ（23.4%→23.2%）（＊7）	（※）
事業税	－	・事業税率の引上げ（＊4）	資本金1億円超の法人の事業税及び地方法人特別税の税率見直し（＊5）	資本金1億円超の法人の事業税及び地方法人特別税の税率見直し（＊6）	－	地方法人特別税の廃止及び特別法人事業税の創設（＊8）
地方法人特別税	－	・地方法人特別税率の引下げ（＊4）			－	
特別法人事業税						
法人住民税（法人税割）	－	・住民税率の引下げ（＊4）	－	－	－	住民税率の引下げ（＊8）
地方法人税		・地方法人税の創設（＊4）	－	－	－	地方法人税率の引上げ（＊8）
復興特別税	・復興特別法人税の創設（＊2） ・復興特別所得税の創設（＊3）	・復興特別法人税の1年前倒し廃止（＊2）	－	－	－	－

適用開始時期

（＊1）平成24年4月1日以後に開始する事業年度から適用

（＊2）平成24年4月1日以後に開始する事業年度から2年間（創設当初は3年間でしたが、平成26年度税制改正により1年前倒して、廃止となりました。）

（＊3）平成25年分から令和19年分まで

（＊4）平成26年10月1日以後に開始する事業年度から適用

（＊5）平成27年4月1日以後に開始する事業年度から適用

（＊6）平成28年4月1日以後に開始する事業年度から適用

（＊7）平成30年4月1日以後に開始する事業年度から適用

（＊8）令和元年10月1日以後に開始する事業年度から適用

（※）適用除外事業者の軽減税率について、平成31年4月1日以後に開始する事業年度より、本則の19%となります。

❷ 税率一覧

税率の変遷は、下記の表となっています。

地方税の税率は標準税率です。実際には、事務所の所在する地方公共団体が、会社の資本金等や所得の規模により定める税率となります。

区分	平成24年4月1日から平成27年3月31日までの間に開始する事業年度 平成20年10月1日から平成26年9月30日までの間に開始する事業年度	平成26年10月1日から平成27年3月31日までの間に開始する事業年度	平成27年4月1日から平成28年3月31日までの間に開始する事業年度	平成28年4月1日以後に開始する事業年度	平成30年4月1日以後に開始する事業年度	令和元年10月1日以後に開始する事業年度
法人税	25.5%	25.5%	23.9%	23.4%	23.2%	23.2%
（中小法人の軽減税率）	15%（本則19%）（＊1）					
地方法人税			4.4%	4.4%	4.4%	10.3%
資本金1億円以下 事業税（所得割）軽減税率適用法人 年所得400万円以下の部分	2.7%	2.7%	3.4%	3.4%	3.4%	3.5%
年所得400万円超800万円以下の部分	4%	4%	5.1%	5.1%	5.1%	5.3%
年所得800万円超の部分	5.3%	5.3%	6.7%	6.7%	6.7%	7%
軽減税率不適用法人（＊2）						
地方法人特別税	81%	81%	43.2%	43.2%	43.2%	廃止
特別法人事業税						37%
資本金1億円超 事業税（所得割）軽減税率適用法人 年所得400万円以下の部分	1.5%	2.2%	1.6%	0.3%	0.3%	0.4%（＊3）
年所得400万円超800万円以下の部分	2.2%	3.2%	2.3%	0.5%	0.5%	0.7%（＊3）
年所得800万円超の部分	2.9%	4.3%	3.1%	0.7%	0.7%	1%
軽減税率不適用法人（＊2）						
事業税（付加価値割）	0.48%	0.48%	0.72%	1.2%	1.2%	1.2%
事業税（資本割）	0.2%	0.2%	0.3%	0.5%	0.5%	0.5%
地方法人特別税	148%	67.4%	93.5%	414.2%	414.2%	廃止
特別法人事業税						260%
道府県民税（法人税割）	5%	5%	3.2%	3.2%	3.2%	1%
市町村民税（法人税割）	12.3%	12.3%	9.7%	9.7%	9.7%	6%

（＊1）令和7年3月31日までの間に開始する事業年度に適用されます。
　　　 ただし、平成31年4月1日以後に開始する事業年度より、適用除外事業者は本則の19%となります。
（＊2）軽減税率不適用法人は、資本金1,000万円以上で、かつ、3以上の都道府県に事務所を有する法人が該当します。
（＊3）令和4年4月1日以後に開始する事業年度より、資本金1億円超の外形標準課税法人の所得割について軽減税率が廃止され、税率1%となります。

❸ 課税標準と税率の関係のイメージ図

課税標準と税率の関係を示すと下記の図のようになります

税率は、令和6年4月1日から令和7年3月31日までの間に開始する事業年度の税率となっています。

例えば、資本金1億円以下の法人の場合、所得に対する住民税の負担率は、1.624%（23.2%×7％）となります。

○ 資本金1億円以下の場合

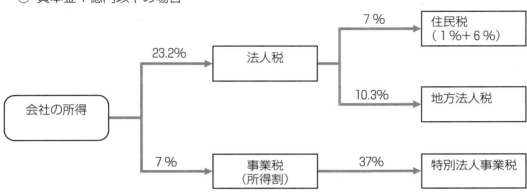

○ 資本金1億円超の場合

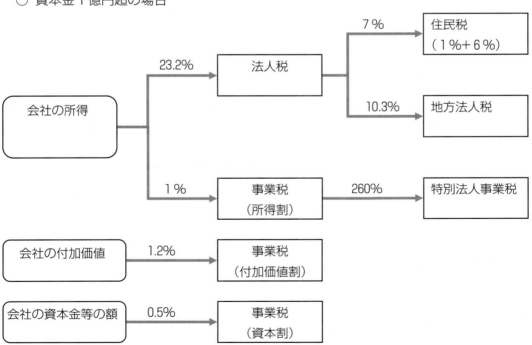

演習 別表5（2）を作成してみよう

（1）法人税、住民税、事業税に関する事項

前期（令和5年4月1日～令和6年3月31日）確定申告による納税額

税目	確定申告
法人税・地方法人税	1,323,600
住民税	264,000
事業税・特別法人事業税	482,200
合計	2,069,800

（注）令和6年5月29日に納付したときの仕訳
　　　（借方）未払法人税等　　2,069,800　／　（貸方）預金　2,069,800

当期（令和6年4月1日～令和7年3月31日）の中間申告による納税額

税目	中間申告
法人税・地方法人税	661,800
	（内訳）
	・法人税　600,000
	・地方法人税　61,800
住民税	132,000
事業税・特別法人事業税	241,000
合計	1,034,800

（注）令和6年11月27日に納付したときの仕訳
　　　（借方）法人税、住民税及び事業税　1,034,800　／　（貸方）預金　1,034,800

（2）その他の税金に関する事項

損益計算書の租税公課900,000円のうち、源泉所得税等を期限後に納付したことによる不納付加算税5,000円が含まれています。その他は、固定資産税、印紙税などすべて損金となるものです。

（3）未払法人税等の総勘定元帳

未払法人税等　　　　　　　　　　　　　　　　　　　（単位：円）

No.	日付	相手科目	摘要	借方	貸方	残高
1			前期繰越			2,069,800
2	5／29	預金	確定申告による納付	2,069,800		0
			合計	2,069,800	0	0

租税公課の納付状況等に関する明細書

事業年度	： ：	法人名	

別表五(二) 令六・四・一以後終了事業年度分

税目及び事業年度			期首現在未納税額①	当期発生税額②	当期中の納付税額			期末現在未納税額①+②-③-④-⑤⑥
					充当金取崩しによる納付③	仮払経理による納付④	損金経理による納付⑤	
法人税及び地方法人税		： ：	1 円		円	円	円	円
		： ：	2					
	当期分	中間	3	**Step 1 ⇨ 法人税・地方法人税の把握**				
		確定	4					
		計	5					
道府県民税		： ：	6					
		： ：	7					
	当期分	中間	8	**Step 2 ⇨ 住民税の把握（道府県民税）**				
		確定	9					
		計	10					
市町村民税		： ：	11					
		： ：	12					
	当期分	中間	13	**（市町村民税）**				
		確定	14					
		計	15					
事業税及び特別法人事業税		： ：	16					
		： ：	17					
	当期中間分		18	**Step 3 ⇨ 事業税・特別法人事業税の把握**				
		計	19					
その他	損金算入のもの	利子税	20					
		延滞金（延納に係るもの）	21					
			22					
			23					
	損金不算入のもの	加算税及び加算金	24	**Step 4 ⇨ その他の税金の把握**				
		延滞税	25					
		延滞金（延納分を除く。）	26					
		過怠税	27					
			28					
			29					

納税充当金の計算						
期首納税充当金	30		取崩額 その他	損金算入のもの	36	円
繰入額	損金経理をした納税充当金	31		損金不算入のもの	37	
		32	**Step 5 ⇨ 納税充当金の把握**		38	
	計 (31)+(32)	33		仮払税金消却	39	
取崩額	法人税額等 (5の③)+(10の③)+(15の③)	34		計 (34)+(35)+(36)+(37)+(38)+(39)	40	
	事業税及び特別法人事業税 (19の③)	35	期末納税充当金 (30)+(33)-(40)		41	

通算法人の通算税効果額の発生状況等の明細						
事業年度	期首現在未決済額①	当期発生額②	当期中の決済額		期末現在未決済額⑤	
			支払額③	受取額④		
： ：	42	円		円	円	円
： ：	43					
当期分	44	中間 円				
		確定				
計	45					

158　Ⅲ　法人税の申告書を作成してみよう

　別表5（2）は、**会社の負担する税金と未払法人税等（納税充当金）を把握**するための別表です。

Step 1　▶法人税（地方法人税を含む）の把握

　Step 1 では、法人税の発生と納付状況を把握します。

　一番左には、事業年度を記載します。

　①は過年度の申告において納めるべき法人税のうち、当期首において、まだ納めていない金額（前期の⑥）を記載します。

　通常、前期の確定申告により、納めるべき法人税だけが記載されます。

　②には、当期に発生した法人税を記載します。

　つまり、当期の中間申告及び確定申告で納めるべき法人税です。

　設問より、中間申告で納めるべき法人税661,800円を記載します。

　確定申告で納めるべき法人税は、まだ、当期の法人税の計算ができていないため、記載することはできません。

　③、④、⑤では、当期において、実際に納付したときの会計処理が問われています。

　③、④、⑤の違いは、仕訳の借方科目にあります。

　納付時の借方科目が、未払法人税等や納税充当金など負債の科目を取り崩したのであれば、③に記載します。

　仮払税金など資産の科目であれば、④に記載します。

　法人税、住民税及び事業税や租税公課など費用の科目であれば、⑤に記載します。

　設問では、前期の確定申告による法人税1,323,600円を納付したときの仕訳の借方は、負債の科目を取り崩していますので、③に記載します。

　また、当期の中間申告による法人税661,800円を納付したときの仕訳の借方は、費用の科目を計上していますので、⑤に記載します。

【前期の⑥】 / 当期の申告により納めるべき額 / 当期中に納付したときの会計処理 / 当期末にまだ納めていない額

税　目　及　び　事　業　年　度			期首現在未納税額 ①	当期発生税額 ②	当　期　中　の　納　付　税　額			期末現在未納税額 ①＋②－③－④－⑤ ⑥
					充当金取崩しによる納付 ③	仮払経理による納付 ④	損金経理による納付 ⑤	
法地人方税法及人び税		： 　 ： 1	円			円	円	円
		令5： 4： 1 令6： 3：31 2	1,323,600		1,323,600			0
	当期分	中　　間 3		661,800円			661,800	0
		確　　定 4						
		計 5	1,323,600		1,323,600		661,800	

【納税したときの会計処理】

会計処理	借方の科目は？	貸方
③充当金の取崩し	**負 債** 例）未払法人税等、納税充当金など	
④仮払経理	**資 産** 例）仮払金、未収金など	現預金
⑤損金経理	**費 用** 例）法人税、住民税及び事業税、租税公課など	

それでは、別表5（2）と別表4のつながりについてみてみましょう。

❶ **損金経理による納付**

別表5（2）の⑤に記載した金額は、費用に計上しています。

ところが、法人税法では、法人税は損金となりませんので、別表4で加算の申告調整を行います。

（中間申告による法人税を納付したときの仕訳）

（借方）法人税、住民税及び事業税 661,800 ／ （貸方）預 金 661,800

III 法人税の申告書を作成してみよう

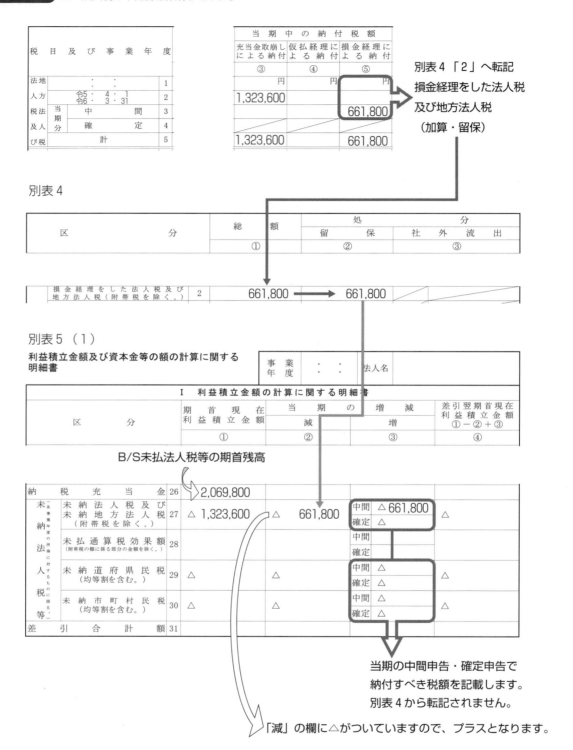

演習　別表5（2）を作成してみよう　161

【損金の額に算入した法人税はなぜ留保】

　　損金経理をした法人税は、なぜ留保となるのでしょうか。

　　会計と法人税法の帳簿価額に違いがある場合を、別表4で留保とし、別表5（1）に転記を行いました。

　　中間申告の法人税を納付したときの仕訳は、次のとおりです。

```
（借方）法人税、住民税及び   661,800 ／ （貸方）預　　金       661,800
　　　　事業税
```

　　会計と税法の預金の帳簿価額に違いはありませんので、一見、社外流出でもおかしくないと考えられます。

　　しかしながら、別表4では、留保にしか記載できないようになっています。

　　それは、別表5（1）の仕組みに原因があります。

　　別表5（1）の未納法人税・未納住民税を記載する「27」「29」「30」は、頭に△（マイナス）が付されています。

　　つまり、別表4で留保とし、別表5（1）②に転記した上、あらためて、③納付すべき税額を法人税法の帳簿価額からマイナスしている、つまり社外流出としているのです。

❷　**充当金取崩しによる納付**

次に、充当金を取崩して納付した場合をみてみましょう。

（前期の確定申告による法人税を納付したときの仕訳）

```
（借方）未払法人税等   1,323,600 ／ （貸方）預　　金     1,323,600
```

法人税は費用に計上されていませんので、別表4の申告調整はありません。

ただし、理論上は、別表4で次の2つの申告調整が行われています。

- 納税充当金の取崩し　　　1,323,600（減算・留保）
- 損金経理をした法人税　　1,323,600（加算・留保）

実務上、両者は相殺され、別表4において表示しませんが、別表5（1）に留保を反映させます。

納税充当金の取崩し　　1,323,600（減算・留保）

損金経理をした法人税　1,323,600（加算・留保）

別表5（1）

利益積立金額及び資本金等の額の計算に関する明細書

事　業 年　度	： ：	法人名

I　利益積立金額の計算に関する明細書

区　　　分		期首現在 利益積立金額 ①	当期の増減		差引翌期首現在 利益積立金額 ①－②＋③ ④
			減 ②	増 ③	
利　益　準　備　金	1	円	円	円	円
納　税　充　当　金	26	2,069,800	1,323,600		
未納法人税等（各事業年度の所得に対するものに限る。） 未納法人税及び未納地方法人税 （附帯税を除く。）	27	△ 1,323,600	△ 1,323,600 661,800	中間 △ 661,800	△
				確定 △	
未払通算税効果額 （附帯税の額に係る部分の金額を除く。）	28			中間	
				確定	
未納道府県民税 （均等割を含む。）	29	△	△	中間 △	△
				確定 △	
未納市町村民税 （均等割を含む。）	30	△	△	中間 △	△
				確定 △	
差　引　合　計　額	31				

　すると、別表5（1）「27」、「29」、「30」は、別表5（2）と対応関係にあることが分かります。

演習　別表5（2）を作成してみよう

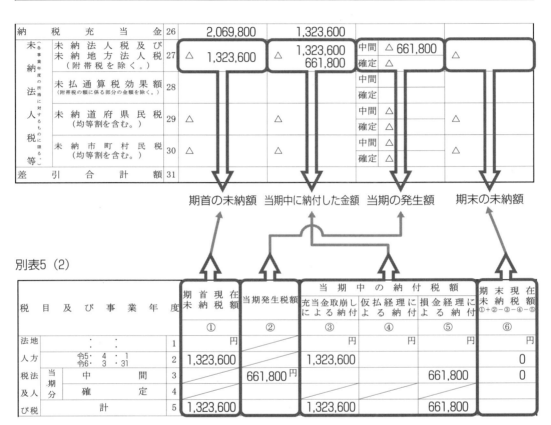

Step 2 ▶住民税の把握

Step 2 では、住民税（都道府県民税と市町村民税）の発生と納付状況を把握します。
記載の仕方や考え方は、法人税のときと同様です。

❶ 損金経理による納付

別表5（2）の⑤に記載した金額は、費用に計上しています。
ところが、法人税法では、住民税は損金となりませんので、別表4で加算の申告調整を行います。

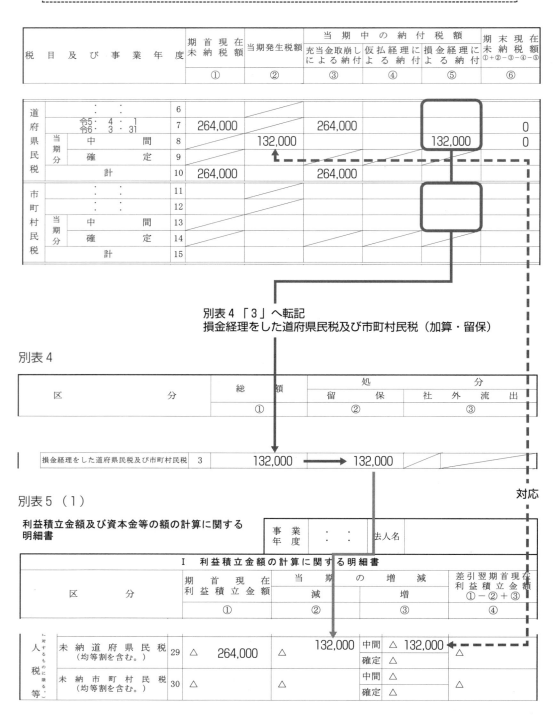

❷ 充当金取崩しによる納付

次に、充当金を取崩して納付した場合をみてみましょう。

（前期の確定申告による住民税を納付したときの仕訳）

> （借方）未払法人税等　264,000／（貸方）預　金　264,000

住民税は費用に計上されていませんので、別表4の申告調整はありません。

ただし、法人税のときと同様に、理論上は、別表4で次の2つの申告調整が行われています。

- 納税充当金の取崩し　　264,000（減算・留保）
- 損金経理をした住民税　264,000（加算・留保）

実務上、両者は相殺され、別表4において表示しませんが、別表5（1）に留保を反映させます。

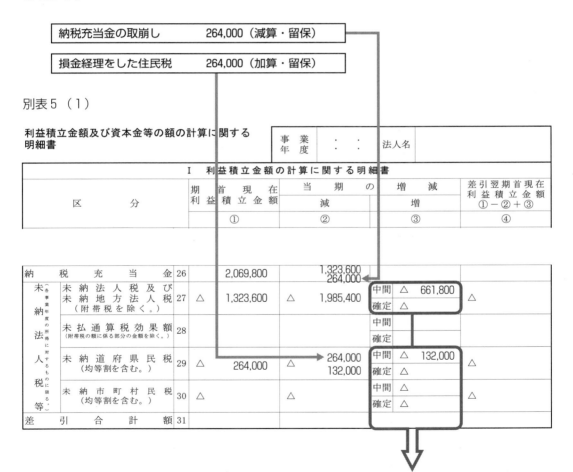

コラム 道府県民税・市町村民税と都民税

別表5（2）の税目では、「道府県民税」と記載されており、「都」の文字はありません。では、都民税はどうなるのでしょうか？

道府県民税及び市町村民税は、地方税法という法律により規定されています。

その中で、都は道府県に、都内23区（特別区といいます）は市町村にそれぞれ準用する、つまり、同じと取り扱うことと規定しています。

ですから、名称は道府県民税でも、実際には、都民税も含まれます。

実務上、大阪府大阪市に事業所のある会社の場合では、大阪府に対し府民税を申告し、大阪市に対し市民税を申告します。

一方、東京都23区内に事業所がある会社の場合、その所轄する都税事務所に対し、道府県民税と市町村民税を合わせた都民税を申告することとなっています。

Step 3 ▶事業税（特別法人事業税を含む）の把握

Step 3 では、事業税の発生と納付状況を把握します。

特別法人事業税は、事業税と一緒に処理を行います。

事業税は申告書を提出した日の損金となりますので、Step 1、2と比較し、別表の記載の相違点が2点あります。

1点目は、令和6年3月期の確定申告で納めるべき事業税482,200円は、「17」②当期発生額に記載します。

2点目は、当期確定分の行がないことです。

前期の確定申告は、原則、前期末の翌日から2ヶ月以内に提出しなければなりません。

ですから、前期の確定申告書による未納額は、当期の発生額となり、当期の確定申告による未納額は翌期の発生額となります。

これら以外の記載の仕方は、Step 1、2と同様です。

❶ 損金経理による納付

別表5（2）の⑤に記載した金額は、費用に計上しています。

法人税法でも、損金となりますので、別表4の申告調整はありません。

（中間申告による事業税等を納付したときの仕訳）

（借方）法人税、住民税及び事業税　241,000 ／（貸方）預　金　241,000

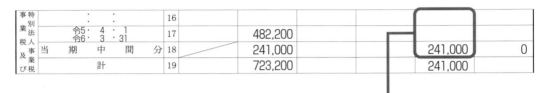

別表4の調整なし

❷ 充当金取崩しによる納付

次に、充当金を取崩して納付した場合をみてみましょう。

（前期の確定申告による事業税を納付したときの仕訳）

（借方）未払法人税等　482,200 ／（貸方）預　金　482,200

法人税法では、当期の損金となりますので、別表4で減算の申告調整を行います。

168　Ⅲ　法人税の申告書を作成してみよう

税　目　及　び　事　業　年　度		期首現在未納税額 ①	当期発生税額 ②	当期中の納付税額			期末現在未納税額 ①+②-③-④-⑤ ⑥
				充当金取崩しによる納付 ③	仮払経理による納付 ④	損金経理による納付 ⑤	
事業税及び特別法人事業税	：　：ヽ 16						
	令5・4・1 令6・3・31 17		482,200	482,200			0
	当　期　中　間　分 18		241,000			241,000	0
	計 19		723,200	482,200		241,000	0

別表4「13」へ転記
納税充当金から支出した事業税等の金額（減算・留保）

別表4

区　　　　　分	総　額 ①	処　　　分	
		留　保 ②	社　外　流　出 ③
納税充当金から支出した事業税等の金額　13	482,200	482,200	

別表5（1）

利益積立金額及び資本金等の額の計算に関する明細書

| 事業年度 | ：　：ヽ | 法人名 | |

Ⅰ　利益積立金額の計算に関する明細書

区　　　　　分	期首現在利益積立金額 ①	当期の増減		差引翌期首現在利益積立金額 ①-②+③ ④
		減 ②	増 ③	
納　税　充　当　金　26	2,069,800	1,587,600 482,200		
未納法人税等（各事業年度の所得に対するものに限る。） 未納法人税及び未納地方法人税（附帯税を除く。） 27	△ 1,323,600	△ 1,985,400	中間 △ 661,800 確定 △	△
未払通算税効果額（附帯税の額に係る部分の金額を除く。） 28			中間 確定	
未納道府県民税（均等割を含む。） 29	△ 264,000	△ 396,000	中間 △ 132,000 確定 △	△
未納市町村民税（均等割を含む。） 30	△	△	中間 △ 確定 △	△
差　引　合　計　額　31				

Step 4 ▶ その他の税金の把握

Step 4 では、法人税、住民税、事業税以外の税金の発生と納付状況を把握します。
固定資産税や印紙税など損金となる税金は、「20」から「23」に記載します。
設問より、会計処理は費用に計上していますから、⑤に記載します。
この場合、費用と損金が一致していますので、別表4の申告調整はありません。
一方、加算税や延滞税など損金とならない税金は、「24」から「29」に記載します。
設問より、費用に計上した不納付加算税5,000円は損金となりません。
別表4で加算の申告調整が必要となります。

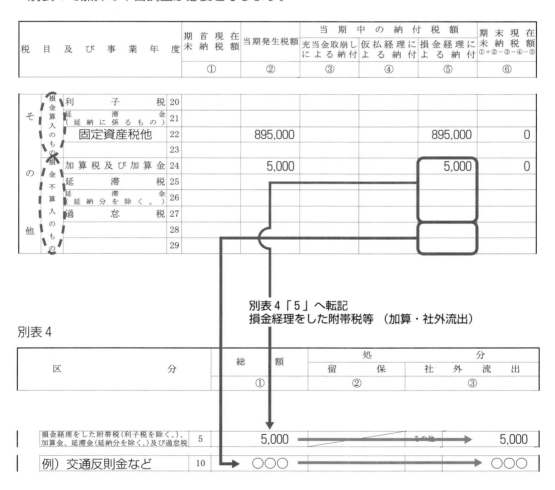

Step ⑤ ▶納税充当金の把握

　Step 5 では、会計の未払法人税等である納税充当金の積立てと取崩しを把握します。

　別表の記載も、未払法人税の元帳と同じイメージです。左から

- 期首残高………「30」
- 当期繰入額……「31」から「33」
- 当期取崩額……「34」から「40」
- 期末残高………「41」

となっています。

　設問より、「期首の残高」と「当期取崩額」の金額は把握できます。

　「当期取崩額」は、③のそれぞれ税目の計となります。

【参考】

　その他の税金について、未払法人税等を取り崩して納付した場合の別表 4 の申告調整は次のようになります。

　　1）損金となる税金のとき

　　　　　会計処理　　　　　　　（借方）未払法人税等　／（貸方）現預金

　　　　　別表 4 の申告調整　　　納税充当金から支出した事業税等の金額「13」（減算・留保）…

　　　　　　　　　　　　　　　　別表 5 （2）「36」の金額

　　　　　別表 5 （1）の転記　　納税充当金「26」減②

　　2）損金とならない税金のとき

　　　　　会計処理　　　　　　　（借方）未払法人税等　／（貸方）現預金

　　　　　別表 4 の申告調整　　　•納税充当金から支出した事業税等の金額「13」（減算・留保）

　　　　　　　　　　　　　　　　•損金に算入した○○税（加算・流出）

　　　　　　　　　　　　　　　　が同額で発生…別表 5 （2）「37」の金額

　　　　　別表 5 （1）の転記　　納税充当金「26」減②

演習 別表5（2）を作成してみよう 171

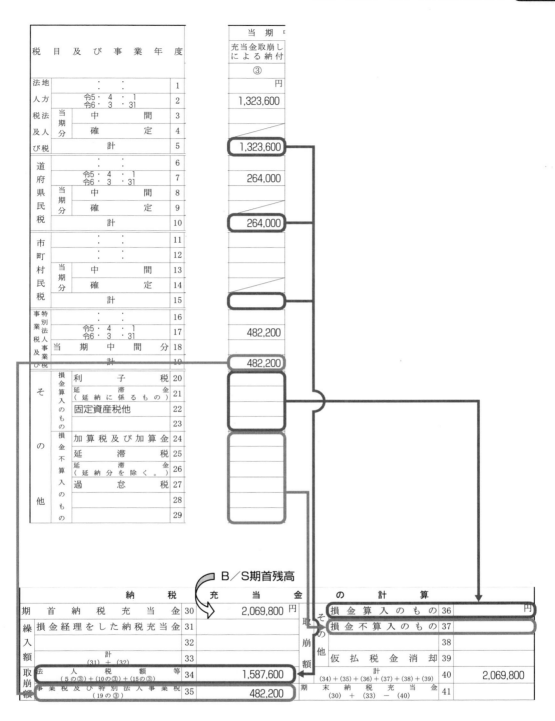

別表 5 (2) の見方

　別表 5 (2) は、会社の税金の発生と納付状況を把握する別表です。

　つまり、この別表では、会社の税金の滞納状況などが一目で分かってしまうのです。

　一番右側の「期末現在未納税額」⑥は、通常、当期の確定申告により納める税金、「当期分確定」の金額だけが記載されます。

　これ以外の金額が記載されていると、会社が税金を滞納していることが考えられます。

　また、損金とならない加算税の金額に記載があれば、過年度の申告について修正申告を行ったことなどが考えられます。

9 所得税額控除の処理をマスターしよう

（1）源泉所得税及び復興特別所得税の仕組み

　会社が預金の利息や剰余金の配当などを受け取るときには、源泉所得税及び復興特別所得税（以下、「源泉税」といいます。）が天引きされます。たとえば、銀行預金の利息が1,000の場合、源泉税153が天引きされ、会社は847を受け取ります。

　銀行が天引きした税金は税務署に納められます。

この天引きされた源泉税は、会社にとって、納めるべき法人税の前払いを意味します。
ですから、一般的な会計処理は、次のとおりとなります。

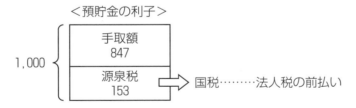

コラム 源泉税の合計税率

源泉徴収の対象となるものを支払う場合には、支払者は、源泉所得税とあわせて復興特別所得税も徴収しなければなりません。復興特別所得税額は、所得税額の2.1%相当額です。

そのため、源泉税額は、源泉徴収の対象となる金額に対して「源泉所得税率×102.1%」で計算した合計税率を乗じた金額となります。

源泉所得税率	5%	10%	15%	16%	18%	20%
合計税率 （源泉所得税率×102.1%）	5.105%	10.21%	15.315%	16.336%	18.378%	20.42%

（2）源泉税の税率

それでは、源泉税の税率はどのようになっているのかみてみましょう。

金融資産に係る利子・配当等の種類により、税率も異なります。

❶ 法人が受け取る場合の源泉税の税率（平成28年1月1日以後に支払いを受けるもの）

利子・配当等の種類	源泉税の合計税率
①預貯金の利子	15.315%
②公社債の利子	15.315%
③剰余金の配当（＊） 　　上場株式の配当	15.315%
未上場株式の配当	20.42%
④投資信託の収益の分配のうち主なもの 　　公社債投資信託	15.315%
公募公社債等運用投資信託	15.315%
公募証券投資信託	15.315%

（＊）一定の株式等に係る配当は源泉徴収が不要です【次頁❷参照】

> **コラム** 利子割の廃止
>
> 　平成25年度税制改正により、平成28年1月1日以後に支払いを受けるべき利子等に係る利子割について、徴収の対象となる支払いを受ける者から法人を除外し、個人だけに限定されています。
> 　したがって、法人税割額から控除する利子割額も廃止されました。
> 　平成28年1月1日以後に法人が受け取る利子等については、利子割が徴収（天引き）されていませんので、経理処理につき注意が必要です。

❷　一定の株式等に係る配当等の源泉徴収の見直し

　令和4年度税制改正において、一定の株式等に係る配当等の源泉徴収について改正がされました。

　具体的には、内国法人（一般社団法人などを除きます。）が支払いを受ける配当等で、次の①および②の株式等（自己の名義をもって有するものに限ります。）に係る配当等について、所得税の源泉徴収を行いません。

　この改正は、令和5年10月1日以後に支払を受けるべき配当等から適用されています。

①　完全子法人株式等に該当する株式等に係る配当等

②　基準日等においてその内国法人が保有する他の内国法人の株式等の発行済株式等の総数等に占める割合が3分の1超である場合における当該他の内国法人の株式等に係る配当等

①は、法人税の「完全子法人株式等」に相当するものです。

　一方、②は、法人税の「関連法人株式等」に相当するものですが、直接の保有割合が3分の1超であり、保有割合を判定するときは、配当等の基準日等の一時点で行うこととされています。

　これは、配当等を支払う源泉徴収義務者がその判断を行う必要があるためです。

【例：令和5年10月1日以後に支払う配当の源泉徴収】
前提：甲社が保有する乙社株式は、完全子法人株式等に該当（p.46参照）
　　　甲社および乙社が保有する丙社株式は、関連法人株式等に該当（p.47参照）

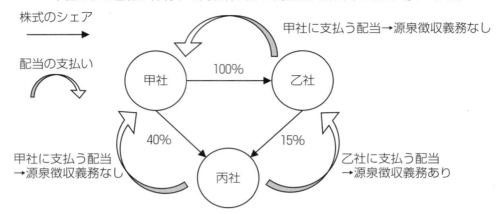

一定の株式等に係る配当等の源泉徴収の見直しの改正の背景

　何故、完全子法人株式等や保有割合が3分の1超の株式等に係る配当等について、源泉徴収を不要としたのでしょうか。

　この改正の背景は、会計検査院が令和2年11月に内閣に送付した「令和元年度決算検査報告」において、次のような指摘を行ったことによるものです。

　「原則として全額に法人税が課されていない完全子法人株式等及び関連法人株式等に係る配当等の額に対して源泉徴収を行っていたことから、企業グループ内において納税に係る一時的な資金負担が生ずるとともに、当該配当等に対する税務署における源泉所得税事務が生じたり、源泉所得税相当額について所得税額控除が適用されることにより還付金及び還付加算金並びにこれらに係る税務署の還付事務が生じたりしている状況は、源泉所得税が法人税の前払的性質を持つことや所得税を効率的かつ確実に徴収するなどの源泉徴収制度の趣旨に必ずしも沿ったものとはなっていないと思料される。」

　改正前では、例えば、持株会社である親会社が事業会社である100％子会社から配当を受けた場合、親会社が受領した配当金は全額益金不算入となります。一方、子会社が配当金の支払いの際、源泉税を徴収して税務署に納めても、その源泉税は、税務署を通じて親会社に還付されます。

　そのため、会計検査院は、源泉徴収制度の趣旨に必ずしも沿ったものではないと指摘しています。

（3）源泉税の法人税法の取扱い

法人税法における源泉税の取扱いには、2つの選択肢があります。
　　㈠　納める法人税から差し引く（**所得税額控除**といいます）
　　㈡　損金とする

いずれを選択するのかは、会社の任意です。

会社にとっては、㈠の所得税額控除を採用した方が有利となります。

所得税額控除を選択した場合には、源泉税は損金となりません。

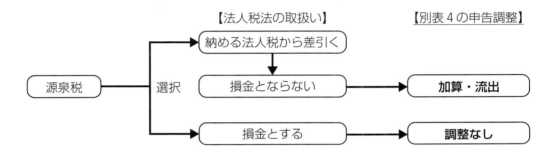

（4）所得税額控除の算出

所得税額控除を選択した場合には、利子・配当等の区分に応じて、源泉税が全額控除できるものと控除できないものに分かれます。

利子・配当等の区分	控除できる源泉税
①預貯金の利子 　公社債の利子 　公社債投資信託の収益の分配 　公社債等運用投資信託の収益の分配 　合同運用信託の収益の分配 　など	全額
②剰余金の配当 　利益の配当 　剰余金の分配 　など	元本を所有していた期間に対応する分
③集団投資信託（①の信託を除きます。）の収益の分配	
④割引債の償還差益	

元本所有期間に対応する分の計算方法には、次の2つの方法があります。
　　イ　個別法

□ 銘柄別簡便法

会社の任意で、いずれの方法でも採用することができますが、各区分内では、同じ方法を採用しなければなりません。

❶ 個別法

個別法は、**元本の銘柄ごと**、かつ、**所有期間の月数の異なるごと**に、次の算式により計算する方法です。

$$源泉税 \times \frac{分母のうち元本を所有していた期間}{配当等の計算の基礎となった期間} \begin{pmatrix}小数点以下\\3位未満切上\end{pmatrix} = 控除所得税$$

算式中の分数は、その配当等の計算期間のうち、当社がその株式等を所有していた期間の割合を求めます。当社の事業年度は関係ありません。

たとえば、10月1日に甲社株式を購入し、翌年3月28日に甲社（12月決算）から配当金（計算期間1月1日から12月31日）を受けとった場合、割合は、3ヶ月／12ヶ月（0.250）となります。

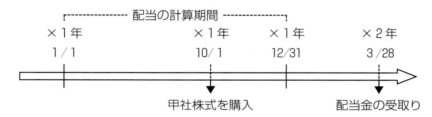

❷ 銘柄別簡便法

個別法は所有期間で按分しているのに対し、銘柄別簡便法は元本数で按分します。

銘柄別簡便法は、配当等に係る**元本を2種類に区分し、銘柄ごと**に次の算式により計算する方法です。

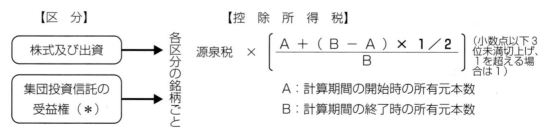

（＊）公社債投資信託及び公社債等運用投資信託などの源泉税が全額控除となるものは除きます。

算式中の分数について、たとえば、計算期間の開始時に甲社株式500株を所有しており、10月1日に200株を追加購入し、翌年3月28日に配当金を受けとったケースでみてみましょ

う。

分母は計算期間の終了時に所有している700株です。

分子は、開始時に所有している500株と計算期間中に増加した200株の半分を合計した600株です。

その結果、割合は、600株／700株（0.858）となります。

ちなみに、個別法と同様、当社の事業年度は関係ありません。

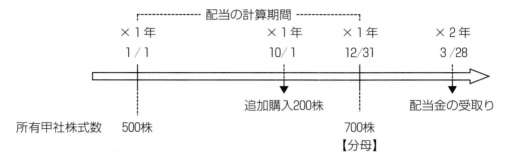

※個別法・銘柄別簡便法を選択するときの注意点

個別法又は銘柄別簡便法のいずれの方法を選択するのかは、会社の任意です。ただし、区分ごとに同じ方法を採用しなければなりません。

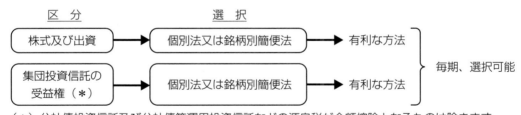

（＊）公社債投資信託及び公社債等運用投資信託などの源泉税が全額控除となるものは除きます。

演習 別表6（1）を作成してみよう

当期の受取利息及び受取配当金の明細は下記のとおりです。

源泉税は、損益計算書の法人税、住民税及び事業税に計上しています。

No	銘柄等	区分	株式等の取得日	利息・配当等の金額（円）	源泉税（円）	配当等の計算期間	開始時元本
						支払日	終了時元本
1	M銀行	預金利息	－	10,000	1,531	－	－
2	S社社債	公社債の利子	－	40,000	6,126	－	－
3	A社株式	剰余金の配当	平17.10.1	600,000	0	令5.4.1～令6.3.31	600株
						令6.6.26	600株
4	B社株式	剰余金の配当	平22.4.1	90,000	0	令5.4.1～令6.3.31	180株
						令6.6.22	180株
5	Z社株式	剰余金の配当	平28.7.1	200,000	40,840	令6.1.1～令6.12.31	200株
						令7.2.25	200株
6	C社株式	剰余金の配当	（＊）	50,000	7,657	令5.10.1～令6.9.30	400株
						令6.12.5	500株
7	D証券投資信託	収益の分配	令6.6.16	60,000	9,189	令5.4.1～令6.9.30	0口
						令6.10.16	200口
8	E公社債投資信託	収益の分配	－	50,036	7,663	－	－
9	A社	貸付利子	－	90,000	－	－	－
	合計			1,190,036	73,006		

（＊）C社株式　平26.10.8に400株、令6.7.8に100株を追加取得した。

別表に記載する前に、控除する源泉税のうち、元本の所有期間に応じて按分が必要なものについて、個別法又は銘柄別簡便法のいずれが有利であるのか確認しましょう。

No. 5　Z社株式　　計算期間　：令6.1.1～令6.12.31（12ヶ月）

取得日　　：平28.7.1（元本所有期間12ヶ月）

開始時元本：200株

終了時元本：200株

∴個別法、簡便法も同じ

No. 6　C社株式　　計算期間　：令5.10.1～令6.9.30（12ヶ月）

取得日　　：平26.10.8　400株（元本所有期間12ヶ月）

令6.7.8　100株（元本所有期間3ヶ月）

開始時元本：400株

終了時元本：500株

＜個別法＞…「銘柄ごと、かつ、所有期間の異なるごと」

400株　6,126円（源泉税）×12月／12月（1.000）＝6,126円

100株　1,531円（源泉税）×3月／12月（0.250）＝　382円

合計　　　　　　　　　　6,508円（控除所得税）

＜簡便法＞…「銘柄ごと」

7,657円（源泉税）×(400株＋100株×1／2)／500株＝6,891円（控除所得税）
　　　　　　　　　　　（＝0.900）　　　　　∴簡便法有利

No. 7　D証券投資信託　計算期間　：令6.4.1～令6.9.30（6ヶ月）

取得日　　：令6.6.16（元本所有期間4ヶ月）

開始時元本：　0口

終了時元本：200口

＜個別法＞……「銘柄ごと、かつ、所有期間の異なるごと」

200口　　　9,189円（源泉税）×4月／6月＝6,129円（控除所得税）
　　　　　　　　　　　　　　　（＝0.667）

＜簡便法＞……「銘柄ごと」

9,189円（源泉税）×(0口＋200口×1／2)／200口＝4,594円（控除所得税）
　　　　　　　　　（＝0.500）　　　　　∴個別法有利

　ちなみに、A社株式及びB社株式に係る配当は、源泉税がありませんので、所得税額控除額の計算には関係ありません。【p.175（2）❷参照】

源泉税について所得税額控除を計算する別表は、別表6（1）になります。

なお、所得税額控除をせず、損金算入を選択した場合には、申告調整はありませんので本別表には記載しません。

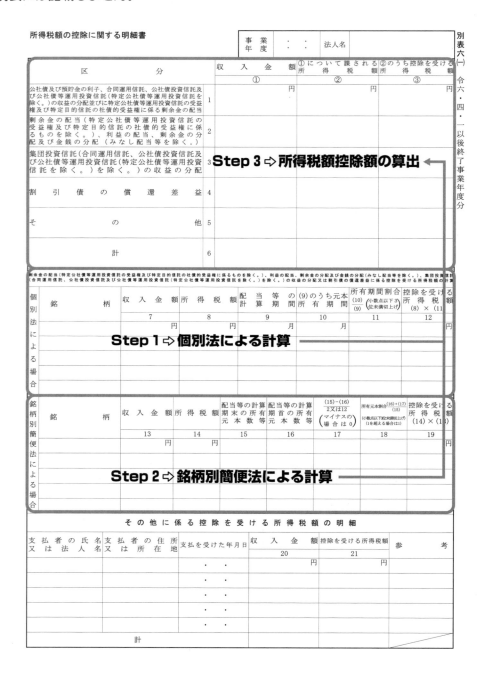

Step 1 ▶個別法による計算

Step 1では、個別法を選択した銘柄を記載します。

このとき、銘柄の頭に、配（剰余金の配当）、投（収益の分配）の区分の印を付けておくと、後の集計が容易になります。

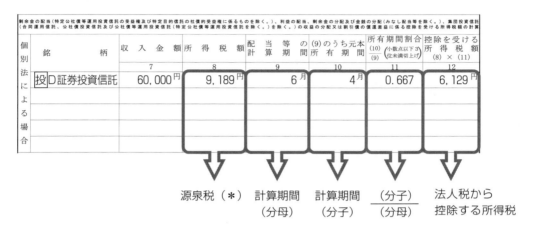

（＊）源泉所得税と復興特別所得税の合計額を記載します。

Step 2 ▶銘柄別簡便法による計算

Step 2では、銘柄別簡便法を選択した銘柄を記載します。

Step 1と同様に、銘柄の頭に、配（剰余金の配当）、投（収益の分配）の区分の印を付けておきましょう。

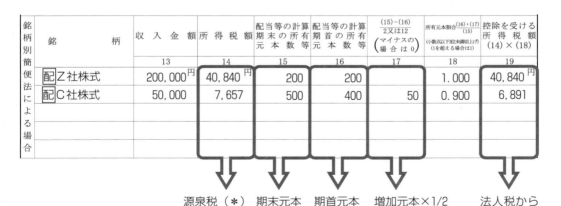

（＊）源泉所得税と復興特別所得税の合計額を記載します。

Step 3 ▶所得税額控除額の算出

Step 3 では、全額控除となるものと Step 1【個別法】及び Step 2【銘柄別簡便法】の金額を合計し、申告調整する控除所得税を算出します。

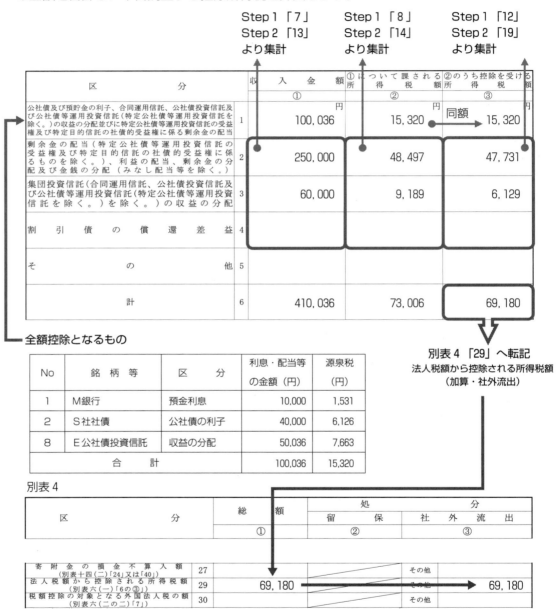

源泉税73,006円のうち、控除できない3,826円は、そのまま損金となります。

ちなみに、A社からの貸付利子は、所得税額控除と関係ありません。

※源泉税は、別表5（1）には影響を及ぼさない

　法人税の前払いである控除所得税額は、別表4の社外流出です。

　したがって、別表5（1）に転記しません。

　また、別表6（1）があるため、別表5（2）では、源泉税を把握する欄は設けられていません。

10 寄附金の処理をマスターしよう

●（1）法人税法の寄附金とは

寄附というと、一般的に、お金を寄附することや物資をあげることが思い浮かびます。ところが、法人税法では、寄附について、次のように規定しています。

- 寄附金、拠出金、見舞金その他いずれの名義をもってするかを問わず、金銭その他の資産又は経済的利益の贈与又は無償の供与をすること

一般的な寄附の概念よりも広く、具体的には、次のようなものがあります。

寄附の形態	法人税法上、寄附金となる金額
1．お金を寄附する	寄附をした金額
2．資産をタダ（無償）で提供する	その資産の時価
3．資産を安い価格で提供する（低額譲渡）	その資産の時価と提供価格の差額
4．お金を無利息で貸し付ける	受け取るべき利息相当額
5．お金を低利で貸し付ける	受け取るべき利息相当額と受取額の差額

お金を寄附することはもちろん、資産を無償や低額などで移転した場合も寄附に該当します。たとえば、時価5億円（帳簿価額1億円）の土地を2億円で売却したケースをみてみましょう。

（会計の仕訳）

借方		貸方	
現預金	2億円	土地	1億円
		固定資産売却益	**1億円**

ところが、法人税法では、時価で売却をして、3億円を寄附したと考えます。

（法人税法の仕訳）

借方		貸方	
現預金	5億円	土地	1億円
		固定資産売却益	**4億円**
寄附金	**3億円**	現預金	3億円

会計の仕訳では、寄附金という科目が生じていなくても、法人税法では、寄附金を認識しなければならないことに注意が必要です。

会社が寄附と意識していれば帳簿から把握できますが、寄附という意識がない場合には、帳簿には出てきません。

（2）どのような取引に注意が必要か

商慣行では、商品を大量に購入してもらったら、商品をオマケすることや値引をすることが行われています。

オマケや値引は、一種の資産の贈与ですから、一見、寄附金となってしまいます。

それはあまりに理不尽ですから、法人税法の寄附金から、広告宣伝及び見本品の費用その他これらに類する費用、交際費、接待費及び福利厚生費とすべきものは除かれています。

ですから、実務上、利害関係のある第三者との取引や消費者との取引では、会社が意図していないのにもかかわらず、寄附金になることは少ないと考えられます。

では、どのような取引に注意をすればよいのでしょうか。

それは、関係会社間の取引や会社とそのオーナー一族との取引です。

これらの者との取引では、特に、利害関係が曖昧になりがちです。

第三者との取引と同様に考えないと、（1）の例のように、会社は寄附を行ったつもりではないにもかかわらず、法人税法では、寄附金となる可能性があるのです。

子会社などに対する利益の供与

親会社が子会社を整理や再建する場合に、子会社の損失を負担したり、子会社に対する債権を放棄したり、また、低利や無利息で資金を貸し付けたりすることがあります。

これらの経済的な利益の供与は、原則、子会社に対する寄附金となります。

例外として、その利益の供与が、合理的な整理計画や再建計画に基づいてやむを得ず行われるものであり、かつ、相当な理由があるときは、法人税法の寄附金から除かれています。
（法人税基本通達9-4-1、9-4-2）

●（３）法人税法の寄附金の取扱い

　法人税法では、会社が支出した寄附金について、損金となるワク（損金算入限度額）を設けています。

　これは、寄附金は反対給付を期待しない支出であることから、会社の事業活動上の必要性が少ないことや公益性の低い寄附金まで損金としてしまうと、会社の利益の移転が容易にできてしまうからです。

❶　寄附金の区分

　法人税法では、誰に対する寄附なのかによって、寄附金を次の５つに区分しています。

区　分	備　考
１．指定寄附金等	• 国、地方公共団体に対する寄附 • 財務大臣が指定した寄附
２．特定公益増進法人及び認定特定非営利活動法人等に対する寄附金	特定公益増進法人とは、 　……教育又は科学の振興、文化の向上、社会福祉への貢献、その他公益の増進に著しく寄与するもの 【法人税法施行令第77条に限定列挙】 例）独立行政法人、日本赤十字社、社会福祉法人、公益財団法人及び公益社団法人など 認定特定非営利活動法人等は、次の法人が該当します。 • 特定非営利活動促進法第２条第３項に規定する認定特定非営利活動法人 • 特定非営利活動促進法第２条第４項に規定する特例認定特定非営利活動法人
３．完全支配関係がある内国法人に対する寄附金	完全支配関係（法人による完全支配関係に限定） 　……一の者が法人の発行済株式等の全部を直接若しくは間接に保有する関係（当事者間の完全支配関係）又は一の者との間に当事者間の完全支配関係がある法人相互の関係
４．国外関連者に対する寄附金及び外国法人の本店等に対する内部寄附金	国外関連者とは、 　……発行済株式総数の50％以上を直接又は間接に保有する関係その他一定の関係のある外国法人
５．一般の寄附金	上記以外の寄附

❷ 寄附金の損金算入限度額

① 指定寄附金等

指定寄附金等は、寄附金が国や地方公共団体に帰属することや財務大臣により指定された公益性が非常に高いものであることから、全額、損金となります。

② 特定公益増進法人等に対する寄附金

特定公益増進法人等に対する寄附金は、次の金額が損金となる限度額です。

$$限度額 = （所得基準額 + 資本基準額） \times \frac{1}{2}$$

- 所得基準額 ＝ 寄附金支出前の所得金額 × 6.25%
- 資本基準額 ＝ 期末の資本金及び資本準備金の合計額（＊） × 0.375% × $\dfrac{事業年度の月数}{12}$

（注）限度額は、特定公益増進法人等に寄附をした金額まで

（＊）令和 2 年度税制改正により、令和 4 年 4 月 1 日以後に開始する事業年度は、「資本金及び資本準備金の合計額もしくは出資金の額」となります。令和 4 年 3 月31日以前に開始する事業年度は、「資本金等の額」です。

公益性が高いため、一般の寄附金よりも限度額が大きく設定されています。

所得基準額の**寄附金支出前の所得金額**は、別表 4 の所得金額仮計「26」①の金額と寄附金の支払額の合計額となります。

ですから、別表 4 の所得金額仮計が確定していないと限度額を計算することはできません。

期末の資本金及び資本準備金の合計額は、別表 5 （1）「32」④と「33」④の合計額です。

③ 完全支配関係がある内国法人に対する寄附金

この区分は、平成22年度税制改正のグループ法人税制の創設により、新たに設けられたものです。

完全支配関係がある内国法人に対する寄附金は、全額、損金になりません。

反対に、寄附を受けた内国法人は、全額、益金にはなりません。

内国法人とは、日本に本店又は主たる事務所のある法人のことをいいます。

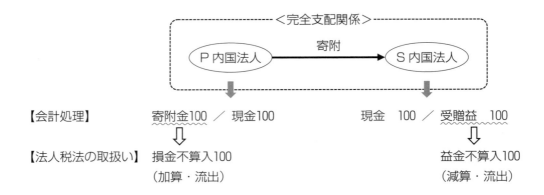

④ 国外関連者に対する寄附金及び外国法人の本店等に対する内部寄附金

国外関連者に対する寄附金等は、全額、損金になりません。

⑤ 一般の寄附金

一般の寄附金は、次の金額が損金となる限度額です。

限度額が、特定公益増進法人等に対する寄附金よりも、低く抑えられています。

$$限度額 = （所得基準額 + 資本基準額） \times \frac{1}{4}$$

- 所得基準額 ＝ 寄附金支出前の所得金額 × 2.5%
- 資本基準額 ＝ 期末の資本金及び資本準備金の合計額（＊） × 0.25% × $\frac{事業年度の月数}{12}$

（＊）令和2年度税制改正により、令和4年4月1日以後に開始する事業年度は、「資本金及び資本準備金の合計額もしくは出資金の額」となります。令和4年3月31日以前に開始する事業年度は、「資本金等の額」です。

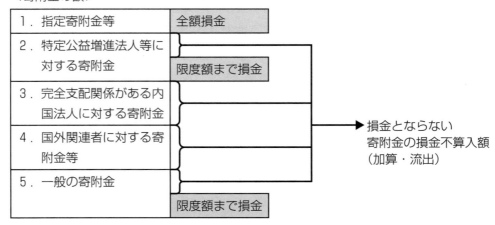

コラム 被災者に対する義援金など

　災害救助法第2条に基づき都道府県知事が救助を実施する区域として指定した区域の被災者のための義援金等の募集を行う募金団体（日本赤十字社、新聞・放送等の報道機関等）に対して拠出した義援金等で、最終的に義援金配分委員会等に対して拠出されるものは、地方公共団体に対する寄附金に該当します。

　したがって、その義援金等は、全額、損金となります。

　一方、海外の災害に際して、募金団体から最終的に日本赤十字社に対して拠出されるものは、特定公益増進法人である日本赤十字社に対する寄附金となります。

　また、災害に際し支出した次のような費用も、一定の条件の下、寄附金及び交際費には該当しないこととされています。

- 被災した取引先に対する債権の免除や低利又は無利息の融資
- 不特定多数の被災者を救援するために緊急に行う自社製品の提供等
- 被災した取引先に対する災害見舞金の支出又は事業用資産の供与、役務提供の費用

【法人税基本通達9−4−6〜9−4−6の4、租税特別措置法関係通達61の4（1）−10の2〜61の4（1）10の4】

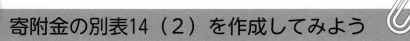

演習 寄附金の別表14（2）を作成してみよう

当期に支出した寄附金は、次のとおりです。

区分	寄附年月日	寄附先 所在地	用途	金額 （円）	備考
指定	令6.7.3	公益社団法人K協会 大阪府大阪市	博覧会開催の 費用	200,000	××年財務省告示 第××号
特定	令6.11.2	公益財団法人L協会 東京都世田谷区	事業資金	100,000	
一般	令7.1.18	一般社団法人N協議会 東京都千代田区	運営資金	500,000	
		合計		800,000	

演習　寄附金の別表14（２）を作成してみよう　193

寄附金の損金算入に関する明細書

事業年度	．　．	法人名	

別表十四(二)　令六・四・一以後終了事業年度分

公益法人等以外の法人の場合

一般寄附金の額の損金算入限度額の計算	支出した寄附金の額	指定寄附金等の金額 (41の計)	1	円
		特定公益増進法人等に対する寄附金額	2	
		その他の寄附金額	3	
		完全支配関係がある法人に対する寄附金額	5	
		計 (4)＋	6	
	所　得　金　額　仮　計 （別表四「26の①」）	7	
	寄附金支出前所得金額 (6)＋(7) （マイナスの場合は0）	8	
	同上の $\frac{2.5又は1.}{100}$ 相当額	9	
	期末の資本金の額及び資本準備金の額の合計額又は出資金の額 （別表五(一)「32の④」又は33の④」）	10	
	同上の月数換算額 (10)×	11	
	同上の $\frac{2.5}{1,000}$ 相当額	12	
	一般寄附金の損金算入限度額 ((9)＋(12))	13	
特定公益増進法人等に対する寄附金の特別損金算入限度額	寄附金支出前所得金額 $\frac{6.25}{100}$ 相当額 (8)× $\frac{6.25}{10}$	14	
	期末の資本金の額及び資本準備金の額の合計額 	15	
	$((14)＋(15)) \frac{1}{2}$	16	
特定公益増進法人等に対する寄附金の損金算入額 ((2)と((14)又は(16))のうち少ない金額)	17	
指定寄附金等の金額 (1)	18	
国外関連者に対する寄附金額及び本店等に対する内部寄附金額	19	
(4)の寄附金額のうち同上の寄附金以外の寄附金額	20	
損金不算入額	同上のうち、損金の額に算入されない金額	21	
	国外関連者に対する寄附金額及び本店等に対する内部寄附金額 (19)	22	
	完全支配関係がある法人に対する寄附金額 (5)	23	
	計 (21)＋(22)＋(23)	24	

Step 3⇨ 一般の寄附金の損金算入限度額の計算

Step 4⇨ 特定公益増進法人等に対する寄附金の損金算入限度額の計算

Step 5⇨ 損金不算入額の計算

公益法人等の場合

損金算入限度額の計算	支出した寄附金の額	長期給付事業への繰入利子額	25	円
		同上以外のみなし寄附金額	26	
		その他の寄附金額	27	
		計 (25)＋(26)＋(27)	28	
	所　得　金　額　仮　計 （別表四「26の①」）	29	
	寄附金支出前所得金額 (28)＋(29) （マイナスの場合は0）	30	
	同上の $\frac{20又は50}{100}$ 相当額 $\frac{50}{100}$ 相当額が年200万円に満たない場合（当該法人が公益社団法人又は公益財団法人である場合を除く。）は、年200万円	31	
	公益社団法人又は公益財団法人の公益法人特別限度額 （別表十四(二)付表「3」）	32	
	長期給付事業を行う共済組合等の損金算入限度額 ((25)と融資額の年5.5％相当額のうち少ない金額)	33	
	損金算入限度額 (31)、(31)と(32)のうち多い金額)又は((31)と(33)のうち多い金額)	34	
指定寄附金等の金額 (41の計)	35	
国外関連者に対する寄附金額及び完全支配関係がある法人に対する寄附金額	36	
(28)の寄附金額のうち同上の寄附金以外の寄附金額 (28)－(36)	37	
損金不算入額	同上のうち損金の額に算入されない金額 (37)－(34)－(35)	38	
	国外関連者に対する寄附金額及び完全支配関係がある法人に対する寄附金額 (36)	39	
	計 (38)＋(39)	40	

指定寄附金等に関する明細

寄附した日	寄附先	告示番号	寄附金の使途	寄附金額 41
				円
			計	

Step 1⇨ 指定寄附金等の明細

特定公益増進法人若しくは認定特定非営利活動法人等に対する寄附金又は認定特定公益信託に対する支出金の明細

寄附した日又は支出した日	寄附先又は受託者	所在地	寄附金の使途又は認定特定公益信託の名称	寄附金額又は支出金額 42
				円
			計	

Step 2⇨ 特定公益増進法人等に対する寄附金の明細

その他の寄附金のうち特定公益信託（認定特定公益信託を除く。）に対する支出金の明細

支出した日	受託者	所在地	特定公益信託の名称	支出金額
				円

194 Ⅲ 法人税の申告書を作成してみよう

Step ゼロ ▶別表４仮計まで計算してみよう

所得の金額の計算に関する明細書（簡易様式）

事業年度	： ：	法人名	

別表四（簡易様式） 令六・四・一以後終了事業年度分

区　　　分		総　額	処　　　　分		
			留　　保	社　外　流　出	
		①	②	③	
当 期 利 益 又 は 当 期 欠 損 の 額	1	28,480,110 円	26,480,110 円	配当	2,000,000 円
				その他	
加	損金経理をした法人税及び地方法人税（附帯税を除く。）	2	661,800	661,800		
	損金経理をした道府県民税及び市町村民税	3	132,000	132,000		
	損 金 経 理 を し た 納 税 充 当 金	4				
	損金経理をした附帯税（利子税を除く。）、加算金、延滞金（延納分を除く。）及び過怠税	5	5,000		その他	5,000
	減 価 償 却 の 償 却 超 過 額	6	50,000	50,000		
	役 員 給 与 の 損 金 不 算 入 額	7			その他	
	交 際 費 等 の 損 金 不 算 入 額	8	813,190		その他	813,190
	通 算 法 人 に 係 る 加 算 額（別表四付表「5」）	9			外 ※	
	貸倒引当金繰入超過額（個別）	10	250,000	250,000		
	貸倒引当金繰入超過額（一括）		166,500	166,500		
算	賞 与 引 当 金 繰 入 額		6,300,000	6,300,000		
	一括償却資産限度超過額		300,000	300,000		
	小　　　　　計	11	8,678,490	7,860,300	外 ※	818,190
減	減 価 償 却 超 過 額 の 当 期 認 容 額	12				
	納税充当金から支出した事業税等の金額	13	482,200	482,200		
	受 取 配 当 等 の 益 金 不 算 入 額（別表八（一）「5」）	14	796,400		※	796,400
	外国子会社から受ける剰余金の配当等の益金不算入額（別表八（二）「26」）	15			※	
	受 贈 益 の 益 金 不 算 入 額	16			※	
	適格現物分配に係る益金不算入額	17			※	
	法 人 税 等 の 中 間 納 付 額 及 び過 誤 納 に 係 る 還 付 金 額	18				
	所 得 税 額 等 及 び 欠 損 金 の繰 戻 し に よ る 還 付 金 額 等	19			※	
	通 算 法 人 に 係 る 減 算 額（別 表 四 付 表「10」）	20			※	
	賞 与 引 当 金 認 容	21	5,500,000	5,500,000		
	一括償却資産限度超過額の認容		380,000	380,000		
算						
	小　　　　　計	22	7,158,600	6,362,200	外 ※	796,400
仮　　　　　計（1）＋（11）－（22）	23	30,000,000	27,978,210	外 ※	△796,400 / 2,818,190
対 象 純 支 払 利 子 等 の 損 金 不 算 入 額（別表十七（二の二）「29」又は「34」）	24			その他	
超 過 利 子 額 の 損 金 算 入 額（別表十七（二の三）「10」）	25	△		※ △	
仮　　　　　計（（23）から（25）までの計）	26	30,000,000	27,978,210	外 ※	△796,400 / 2,818,190
寄 附 金 の 損 金 不 算 入 額（別表十四（二）「24」又は「40」）	27			その他	

演習　寄附金の別表14（2）を作成してみよう　195

Step 1 ▶指定寄附金等の明細

Step 1 では、指定寄附金等を記載します。

指　　定　　寄　　附　　金　　等　　に　　関　　す　　る　　明　　細				
寄　附　し　た　日	寄　　附　　先	告　示　番　号	寄　附　金　の　使　途	寄　附　金　額 41
令6.7.3	公益社団法人K協会	第××号	博覧会開催の費用	200,000 円
計				200,000

Step 2 ▶特定公益増進法人等に対する寄附金

Step 2 では、特定公益増進法人等に対する寄附金を記載します。

特定公益増進法人若しくは認定特定非営利活動法人等に対する寄附金又は認定特定公益信託に対する支出金の明細				
寄附した日又は支出した日	寄附先又は受託者	所　　在　　地	寄附金の使途又は認定特定公益信託の名称	寄附金額又は支出金額 42
令6.11.2	公益財団法人L協会	東京都世田谷区	事業資金	100,000 円
計				100,000

Step 3 ▶一般の寄附金の損金算入限度額の計算

Step 3 では、一般の寄附金の損金算入限度額を計算します。

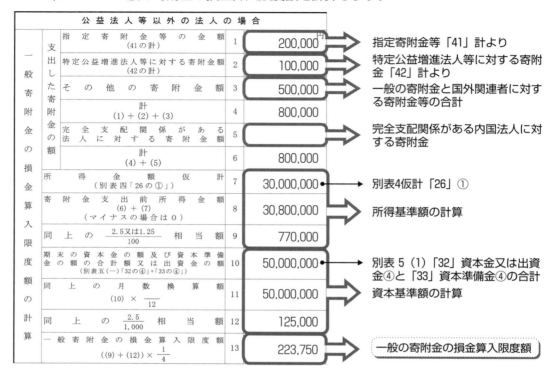

Step 4 ▶特定公益増進法人等に対する寄附金の損金算入限度額の計算

Step 4 では、特定公益増進法人等に対する寄附金の損金算入限度額を計算します。

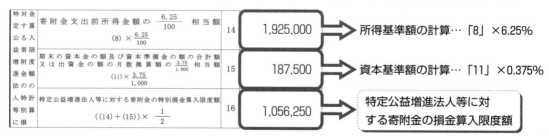

Step 5 ▶損金不算入額の計算

Step 5 では、損金とならない寄附金の金額を計算します。

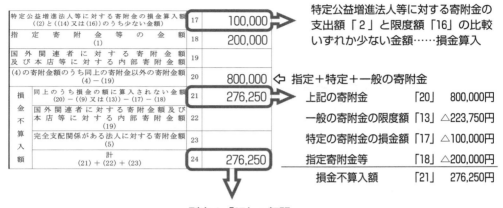

別表4

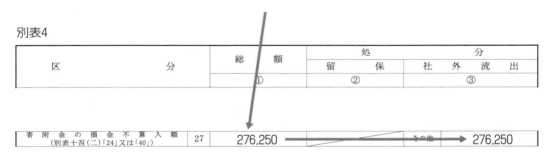

この申告調整が完了すれば、別表4の所得金額が算定できます。

※特定公益増進法人等に対する寄附金のうち、認定特定非営利活動法人等に対する寄附金がある場合には、適用額明細書にも記載します。

11 法人税を計算してみよう

（1）法人税の計算の仕組み

別表4の所得金額を算出すると、いよいよ、法人税の計算に入ります。

それでは、確定申告で納めるべき法人税がどのように計算されるのか、その流れをみてみましょう。

① 一事業年度の所得に対する法人税を計算
② 特別な税金をプラス
③ 法人税から控除するものをマイナス
④ 中間申告で納めた法人税をマイナス

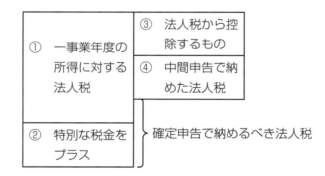

❶ 一事業年度の所得に対する法人税を計算

一事業年度の所得に対する法人税の計算は、非常に単純で、

　所得金額　×　税率　＝　法人税

となります。

税率は、一律23.2%です。

ただし、期末の資本金が1億円以下の中小法人については、所得金額年800万円まで税率が軽減されています。

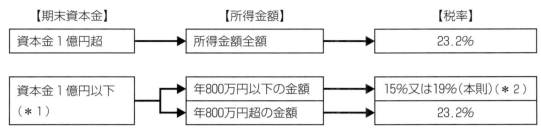

（＊1）次の法人は除きます。
- 大法人（資本金5億円以上の法人等）による完全支配関係がある法人
- 完全支配関係がある複数の大法人に株式の全部を保有されている法人

（＊2）平成24年4月1日から令和7年3月31日までの間に開始する事業年度に適用されます。
平成31年4月1日以後に開始する事業年度より、適用除外事業者（p.75参照）は本則の19％となります。

❷ 特別な税金をプラス

今回、特別な税金については、制度の概要をご紹介します。

❶の税額のほかに、特別な税金が3種類あります。

まず、1つ目は、**土地重課**と呼ばれるものです。

土地重課は、土地の売却益について、さらに特別な税金を課税する制度です。

この制度は、土地の値上がりを抑制するために設けられたもので、現在、停止中となっています。

2つ目は、**留保金課税**と呼ばれるものです。

留保金課税は、特定同族会社の一事業年度に蓄積（留保）された利益（所得）が一定の金額を超える場合に課税する制度です。

超えた金額に応じて、10％〜20％の税金がプラスされます。

ですから、留保金課税がある会社は、業績の良い会社の証しともいえます。

3つ目は、**使途秘匿金課税**と呼ばれるものです。

使途秘匿金は、その名のとおり、会社がお金を渡した相手先等を帳簿書類に記載していないものです。

明らかにできない支出ですから、支出額に対して40％の特別な税金を課税しています。

まさか、会社にそのような支出はありませんね。

❸ 法人税から控除するもの

法人税から控除するものには、大きく2つに分類されます。
- 租税特別措置法による特別控除
- 法人税法による控除

いずれも、法人税を直接マイナスするものであることから、**税額控除**といいます。

① 租税特別措置法による特別控除

　租税特別措置法による特別控除は、政策的に設けられている制度です。

　そのため、その時代の政策目的や経済情勢などにより制度が変わり、原則、適用期限が定められていることが特徴です。

　現行制度では、会社が支出した試験研究費や特定の設備を導入したときの設備投資額に対する特別控除制度などがあり、税金面で優遇しています。

② 法人税法による控除

　法人税法による控除は、主に次の2種類です。

- 所得税額控除
- 外国税額控除

　所得税額控除は、別表6（1）で計算した源泉税を控除する制度です。

　外国税額控除は、たとえば、外国に支店がある場合、外国支店の利益はその所在地国で法人税に相当する税金が課税されます。

　日本の本社では、外国支店の損益も含め、会社全体の利益をベースに法人税を計算します。このままでは、外国支店の利益が、外国と日本で二重に課税されてしまいます。

　そこで、外国で課税された法人税に相当する税金を、日本の法人税から控除することとしています。

留保金課税

　留保金課税の対象は、特定同族会社の一事業年度の留保金が一定額を超えたときです。

　特定同族会社（p.28参照）は、いわゆる創業家一族が50％超の株式を保有している資本金1億円超の法人（＊）です。

　また、留保金のモトは、別表4の所得金額留保欄（別表4「52」②）です。

　ですから、留保金課税を回避・軽減するためには、

- 減資する
- 配当を行い、留保金を減らす

ことなどが考えられます。

　資本金が1億円以下になると、

- 軽減税率が適用できる（p.198）
- 交際費の定額控除限度額（年800万円）がある（p.96）
- 中小企業者の少額減価償却資産の特例が適用できる（常時使用する従業員の数が500人以下のものに限ります。）（p.134）
- 貸倒引当金を損金にすることができる（p.59）
- 繰越欠損金の控除制限がない、欠損金の繰戻し還付を適用できる（p.222）

などにも影響してきます。

　（＊）資本金が1億円以下であっても、次の法人は、特定同族会社の判定を行います。

- 大法人（資本金5億円以上の法人等）による完全支配関係がある法人
- 完全支配関係がある複数の大法人に株式の全部を保有されている法人

演習　別表1を作成してみよう

　法人税を計算する別表は、地方法人税の創設に伴い、別表1と別表1次葉の2つを使用します。

　いずれも法人税と地方法人税に区分されており、それぞれの税額を算出します。

　つまり、法人税の申告書と地方法人税の申告書は、一体となっているのです。

演習 別表1を作成してみよう 203

会社の基本情報

署受付印 令和 年 月 日
税務署長殿

納税地
電話（　　）　－

（フリガナ）
法人名
法人番号
（フリガナ）
代表者
代表者住所

所管　受署　業種目　概況書　要否　別表等

通算グループ整理番号
通算親法人整理番号
法人区分
事業種目
期末現在の資本金の額又は出資金の額　　　　円　非中小法人
同上が1億円以下の普通法人のうち中小法人に該当しないもの
同非区分　特定同族会社　同族会社　非同族会社
旧納税地及び旧法人名等
添付書類　貸借対照表、損益計算書、株主（社員）資本等変動計算書又は損益金処分表、勘定科目内訳明細書、事業概況書、組織再編成に係る契約書等の写し、組織再編成に係る移転資産等の明細書

青色申告　一連番号
整理番号
事業年度（至）
売上金額
申告年月日
通信日付印　確認　庁指定　局指定　指導等　区分
年月日

申告区分
法人税　中間　順限後　修正
地方法人税　中間　順限後　修正

適用額明細書提出の有無　有
税理士法第30条の書面提出有　有
税理士法第33条の2の書面提出有

別表一　各事業年度の所得に係る申告書ー内国法人の分……令六・四・一以後終了事業年度等分

令和　年　月　日
令和　年　月　日
事業年度分の法人税申告書
課税事業年度分の地方法人税申告書
（中間申告の場合の計算期間　令和　年　月　日）

税理士署名

確定申告により納税する法人税の計算

所得金額又は欠損金額（別表四「52の①」）	1	
法人税額 (48)+(49)+(50)	2	
法人税額の特別控除額（別表六（六）「5」）	3	
税額控除超過額相当額等の加算額	4	
土地譲渡税額 課税土地譲渡利益金額（別表三（二）「24」）+（別表三（二の二）「25」）+（別表三（三）「20」）	5	000
同上に対する税額 (62)+(63)+(64)	6	
留保税金 課税留保金額（別表三（一）「4」）	7	000
同上に対する税額（別表三（一）「8」）	8	
法人税額計 (2)-(3)+(4)+(6)+(8)	9	
分配時調整外国税相当額及び外国関係会社等に係る控除対象所得税額等相当額の控除額（別表六（五の二）「7」）+（別表十七（三の六）「3」）	10	
仮装経理に基づく過大申告の更正に伴う控除法人税額	11	
控除税額 (((9)-(10)-(11))と(18)のうち少ない金額)	12	
差引所得に対する法人税額 (9)-(10)-(11)-(12)	13	00
中間申告分の法人税額	14	00
差引確定法人税額（中間申告の場合はその税額とし、マイナスの場合は(22)へ記入）(13)-(14)	15	00

控除税額の計算 所得税の額（別表六（一）「6の③」）	16	
外国税額（別表六（二）「23」）	17	
計 (16)+(17)	18	
控除した金額 (12)	19	
控除しきれなかった金額 (18)-(19)	20	
この申告による還付金額 所得税額等の還付金額 (20)	21	
中間納付額 (14)-(13)	22	
欠損金の繰戻しによる還付請求税額	23	
計 (21)+(22)+(23)	24	外
この申告が修正申告である場合のこの申告により納付すべき法人税額又は減少する還付請求税額 (57)	25	外　00
欠損金等の当期控除額（別表七（一）「4の計」）+（別表七（四）「9若しくは「21」又は別表七（四）「10」）	26	
翌期へ繰り越す欠損金額（別表七（一）「5の合計」）	27	

確定申告により納税する地方法人税の計算

地方法人税額の計算 課税標準法人税額 基準法人税額に対する法人税額 (2)-(3)+(4)+(6)+(9の外書)+(10の外書)	28	
課税留保金額に対する法人税額 (8)	29	
課税標準法人税額 (28)+(29)	30	000
地方法人税額 (53)	31	
税額控除超過額相当額の加算額（別表六（二）付表六「14の計」）	32	
課税留保金額に係る地方法人税額 (54)	33	
所得地方法人税額 (31)+(32)+(33)	34	
分配時調整外国税相当額及び外国関係会社等に係る控除対象所得税額等相当額の控除額（別表六（五の二）「8」）+（別表十七（三の六）「4」）	35	
仮装経理に基づく過大申告の更正に伴う控除地方法人税額	36	
外国税額の控除額 ((34)-(35)-(36))と(65)のうち少ない金額)	37	
差引地方法人税額 (34)-(35)-(36)-(37)	38	00
中間申告分の地方法人税額	39	00
差引確定地方法人税額（中間申告の場合はその税額とし、マイナスの場合は(42)へ記入）(38)-(39)	40	00

この申告による還付金額 外国税額の還付金額 (67)	41	
中間納付額 (39)-(38)	42	
計 (41)+(42)	43	外
この申告が修正申告である場合のこの申告により納付すべき地方法人税額 (61)	44	00

その他の情報

剰余金・利益の配当（剰余金の分配）の金額
残余財産の最後の分配又は引渡しの日　令和　年　月　日
決算確定の日　令和　年　月　日

還付を受けようとする金融機関等
銀行　本店・支店
金庫・組合　出張所
農協・漁協　本所・支所
預金
郵便局名等
口座番号
ゆうちょ銀行の貯金記号番号
※税務署処理欄

税理士署名

204　Ⅲ　法人税の申告書を作成してみよう

別表一次葉　令六・四・一以後終了事業年度等分

事業年度等	： ：	法人名	

法人税額の計算

法人税の計算

(1)のうち中小法人等の年800万円相当額以下の金額 ((1)と800万円×□/12 のうち少ない金額)又は(別表一付表「5」)	45	000	(45)の 15％ 又は 19％ 相 当 額	48
(1)のうち特例税率の適用がある協同組合等の年10億円相当額を超える金額 (1)−10億円×□/12	46	000	(46)の 22％ 相 当 額	49
その 他 の 所 得 金 額 (1)−(45)−(46)	47	000	(47)の 19％ 又は 23.2％ 相 当 額	50

地方法人税額の計算

地方法人税の計算

所得の金額に対する法人税額 (28)	51		10.3％ 相 当 額	53
課税留保金額に対する法人税額 (29)	52	000	(52)の 10.3％ 相 当 額	54

この申告が修正申告である場合の計算

法人税額の計算	この申告前の	法人税額	55		地方法人税額の計算	この申告前の	確定地方法人税額	58	
		還 付 金 額	56	外			還 付 金 額	59	
							欠損金の繰戻しによる還 付 金 額	60	
	この申告により納付すべき法人税額又は減少する還付請求税額 ((15)−(55))若しくは((15)+(56))又は((56)−(24))		57 外	00		この申告により納付すべき地方法人税額 ((40)−(58))若しくは((40)+(59)+(60))又は(((59)−(43))+((60)−(43の外書)))		61	00

土 地 譲 渡 税 額 の 内 訳

土 地 譲 渡 税 額 (別表三(二)「25」)	62	0	土 地 譲 渡 税 額 (別表三(三)「21」)	64		00
同 (別表三(二の二)「26」) 上	63	0				

地 方 法 人 税 額 に 係 る 外 国 税 額 の 控 除 額 の 計 算

外 国 税 額 (別表六(二)「56」)	65		控 除 し き れ な か っ た 金 額 (65)−(66)	67
控 除 し た 金 額 (37)	66			

Step 1 ▶法人税額の計算

Step 1 では、別表4で算出した所得金額「52」①を別表1「1」に転記します。

そして、別表1次葉において、所得に対する法人税額を計算し、その税額を別表1「2」に転記します。

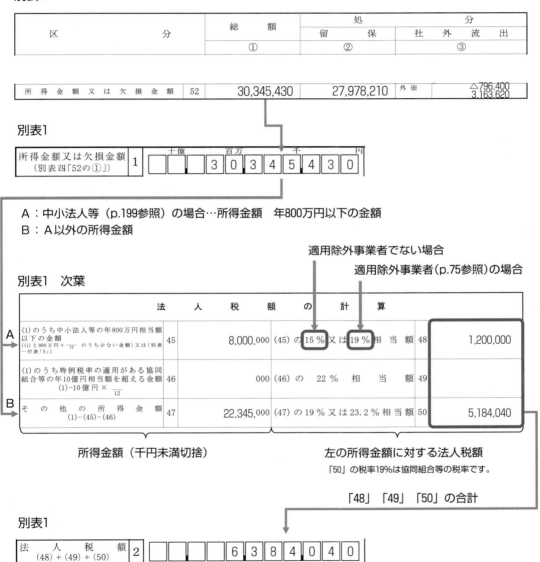

Step 2 ▶特別控除及び特別な税金を転記

Step2では、法人税額「2」から租税特別措置法による特別控除額をマイナスして、特別な税金をプラスし、法人税額計「9」を計算します。

今回の演習では、特別控除額及び特別な税金の設問はありません。

別表1

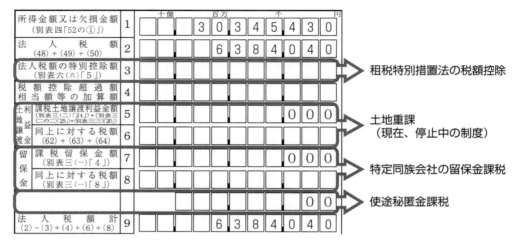

演習　別表1を作成してみよう　207

Step ③ ▶税額控除を転記

Step 3 では、法人税法による税額控除額をマイナスして、差引所得に対する法人税額を計算します。

別表6（1）

所得税額の控除に関する明細書

| 事　業　年　度 | ： ： | 法人名 | |

区　　　　　分		収　入　金　額 ①	①について課される所得税額 ②	②のうち控除を受ける所得税額 ③
公社債及び預貯金の利子、合同運用信託、公社債投資信託及び公社債等運用投資信託（特定公社債等運用投資信託を除く。）の収益の分配並びに特定公社債等運用投資信託の受益権及び特定目的信託の社債的受益権に係る剰余金の配当	1	円 100,036	円 15,320	円 15,320
剰余金の配当（特定公社債等運用投資信託の受益権及び特定目的信託の社債的受益権に係るものを除く。）、利益の配当、剰余金の分配及び金銭の分配（みなし配当等を除く。）	2	250,000	48,497	47,731
集団投資信託（合同運用信託、公社債投資信託及び公社債等運用投資信託（特定公社債等運用投資信託を除く。）を除く。）の収益の分配	3	60,000	9,189	6,129
割　引　債　の　償　還　差　益	4			
そ　　　　の　　　　他	5			
計	6	410,036	73,006	69,180

別表1

			十億		百万		千		円
控除税額の計算	所得税の額（別表六（一）「6の③」）	16					6 9 1 8 0		
	外国税額（別表六（二）「23」）	17							
	計 (16) + (17)	18					6 9 1 8 0		
	控除した金額 (12)	19					6 9 1 8 0		
	控除しきれなかった金額 (18) - (19)	20							

控除税額計「18」が法人税額「9」から控除しきれない場合には、控除できなかった金額は還付となります。

											0 0
法　人　税　額　計 (2) - (3) + (4) + (6) + (8)	9				6 3 8 4 0 4 0	
分配時調整外国税相当額及び外国関係会社等に係る控除対象所得税額等相当額の控除額（別表六（五の二）「7」）+（別表十七（三の六）「3」）	10					
仮装経理に基づく過大申告の更正に伴う控除法人税額	11					
控　除　税　額 ((9) - (10) - (11))と(18)のうち少ない金額	12				6 9 1 8 0	
差引所得に対する法人税額 (9) - (10) - (11) - (12)	13				6 3 1 4 8 0 0	→ 百円未満切捨

Step 4 ▶確定申告による法人税の納付税額

　Step 4 では、差引所得に対する法人税額から中間申告で納めるべき法人税額をマイナスし、確定申告により納めるべき法人税額を計算します。

　別表1「14」中間申告分の法人税額は、別表5（2）の「3」②から転記をします。このとき転記する金額は、法人税部分だけとなります。

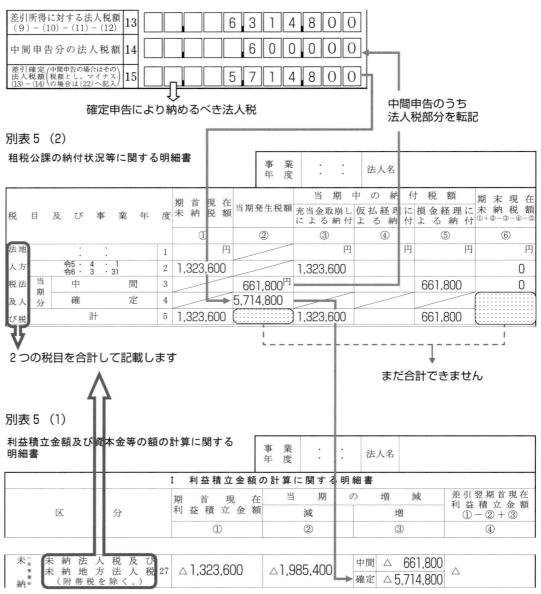

Step 5 ▶地方法人税額の計算

Step 5 では、地方法人税額を計算します。

地方法人税の課税標準の算定は、別表1「2」「3」「4」「6」「8」「9」(外書) の金額を用います。

そして、その課税標準額を別表1次葉に転記し、地方法人税額を計算します。

その税額を別表1「31」「33」に転記します。

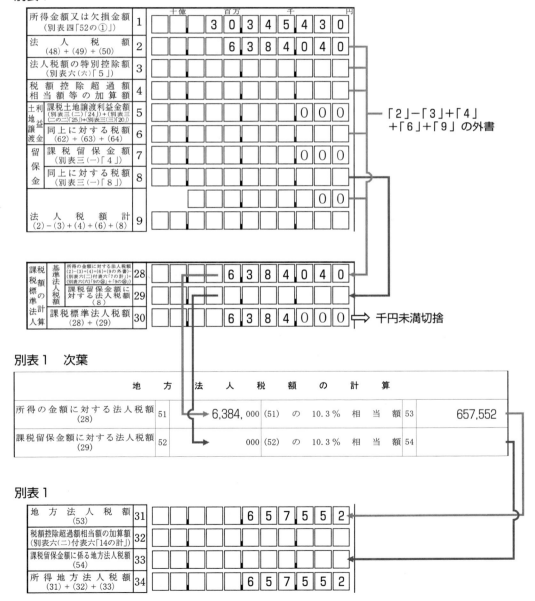

Step 6 ▶確定申告による地方法人税の納付税額

Step 6 では、差引地方法人税額から中間申告で納めるべき地方法人税額をマイナスし、確定申告により納めるべき地方法人税額を計算します。

別表1「39」中間申告分の地方法人税額は、別表5（2）の「3」②から転記をします。このとき転記する金額は、地方法人税部分だけとなります。

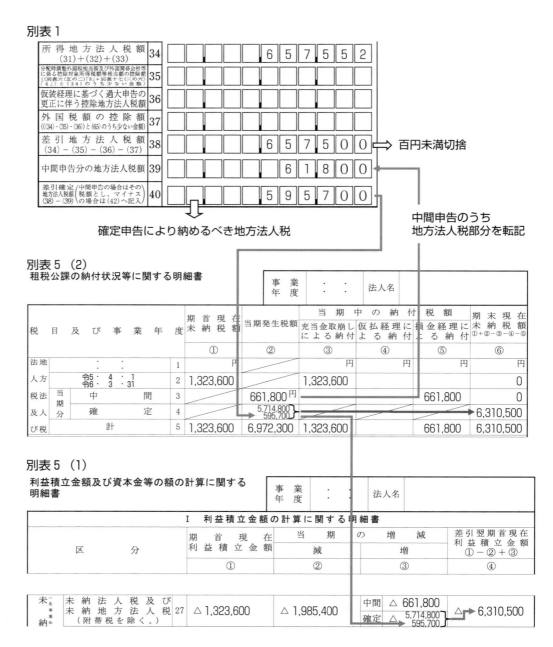

Step 7 ▶支払配当の金額と株主総会の日付

　Step 7 では、当期中に効力が発生し支払いをした剰余金の配当の金額を別表 4 「1」③から転記します。
　そして、決算確定の日に当期の決算に関する定時株主総会の日付を記載します。

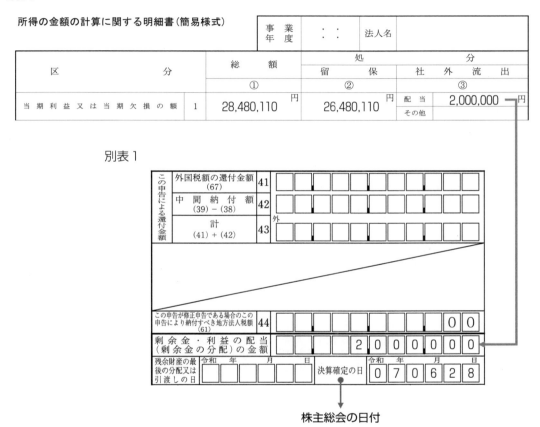

Step 8 ▶会社の基本情報

Step 8 では、会社の基本情報を記載します。

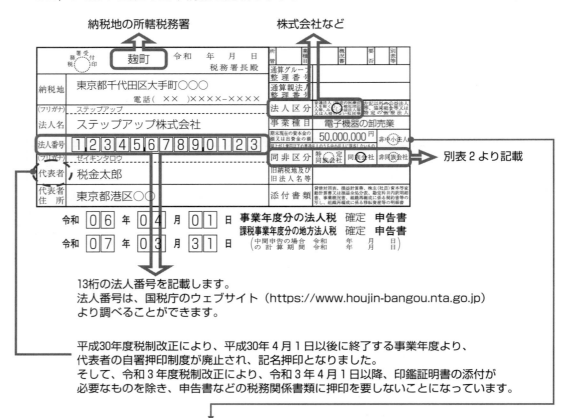

13桁の法人番号を記載します。
法人番号は、国税庁のウェブサイト（https://www.houjin-bangou.nta.go.jp）
より調べることができます。

平成30年度税制改正により、平成30年4月1日以後に終了する事業年度より、
代表者の自署押印制度が廃止され、記名押印となりました。
そして、令和3年度税制改正により、令和3年4月1日以降、印鑑証明書の添付が
必要なものを除き、申告書などの税務関係書類に押印を要しないことになっています。

期末資本金が1億円以下のうち、次の法人が非中小法人等に該当します。
- 大法人（資本金5億円以上の法人等）による完全支配関係がある法人
- 完全支配関係のある複数の大法人に株式の全部を保有されている法人

適用額明細書の記載

適用額明細書に特例の適用を受ける条文番号と適用額を記載し、別表1に○印をします。

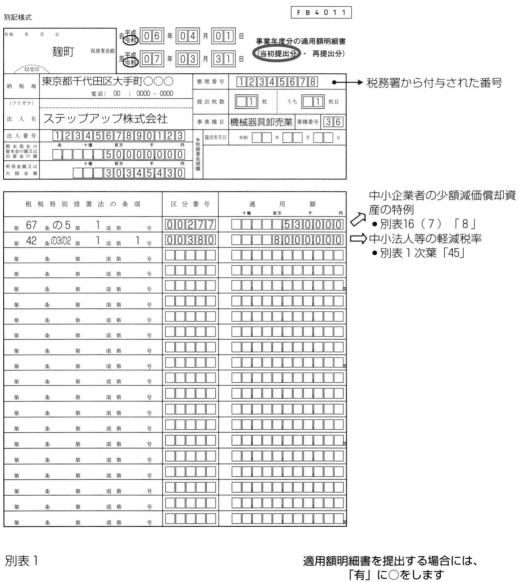

12 別表を完成させよう

(1) 未払法人税等と法人税法の取扱い

未払法人税等は、確定申告により納めるべき税金の見積額を、当期の決算で、費用に未払計上したものです。

確定申告により納めるべき税金には、主に、
- 法人税、地方法人税
- 住民税（都道府県民税・市町村民税）
- 事業税、特別法人事業税

があります。

会計では、確定申告により納めるべきこれらの税金を未払法人税等に計上し、決算書が完成となります。

法人税法では、税金の見積り計上は、損金となりません。

したがって、別表4で加算の申告調整を行います。

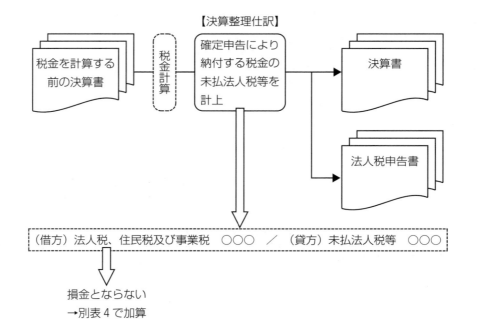

演習 別表を完成させよう

　当期の所得金額及び法人税額を基礎とした法人税、地方法人税、住民税、事業税・特別法人事業税は、次のとおりです。

　今回は法人税申告書を完成させることを優先して、地方税の計算の説明は、別の機会と致します。

＜当期（令和6年4月1日～令和7年3月31日）の納税一覧＞

税目	年税額	中間申告による納税額	確定申告による納税額（百円未満切捨て）
法人税	6,314,800円	600,000円	5,714,800円
	別表1「13」	別表1「14」	別表1「15」
地方法人税	657,500円	61,800円	595,700円
	別表1「38」	別表1「39」	別表1「40」
住民税	626,800円	132,000円	494,800円
事業税・特別法人事業税	2,757,300円	241,000円	2,516,300円
合計	10,356,400円	1,034,800円	9,321,600円

　当期の決算で、確定申告による納税額の未払法人税等を計上します。

　決算整理仕訳は、次のとおりです。

借方		貸方	
法人税、住民税及び事業税 ＜費用＞	9,321,600	未払法人税等 ＜負債＞	9,321,600

　上記の仕訳を追加した後の貸借対照表及び損益計算書は、次のとおりとなります。

＜貸借対照表　抜粋＞

科目	未払法人税等計上前	未払法人税等計上後
流動負債 　　… **未払法人税等**	0円	9,321,600円
純資産の部 株主資本 　　… **繰越利益剰余金**	176,280,110円	166,958,510円

＜損益計算書（抜粋）＞

科目	未払法人税等計上前	未払法人税等計上後
税引前当期純利益	29,587,916円	29,587,916円
法人税、住民税及び事業税	1,107,806円	10,429,406円
当期純利益	28,480,110円	19,158,510円

Step 1 ▶当期純利益と繰越利益剰余金を別表に記載しよう

損益計算書の当期純利益は、未払法人税等を計上したことにより、減少しました。

また、貸借対照表では、未払法人税等が増加し、繰越利益剰余金が同額減少しています。

そのため、これらの修正後の金額を別表に反映させます。

別表4
所得の金額の計算に関する明細書（簡易様式）

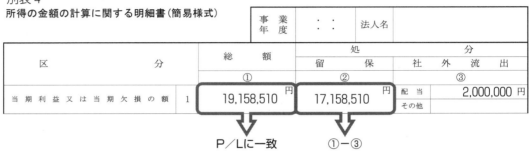

別表5（1）
利益積立金額及び資本金等の額の計算に関する明細書

Step 2 ▶確定申告による納税額を別表に記載しよう

確定申告による納税額のうち、次の税目を別表5（2）と別表5（1）に記載します。

　(A)　都道府県民税

　(B)　市町村民税（設問では市町村民税はありません）

事業税・特別法人事業税は、別表に記載されません。

また、別表5（2）と別表5（1）の対応関係についても確認しておきましょう。

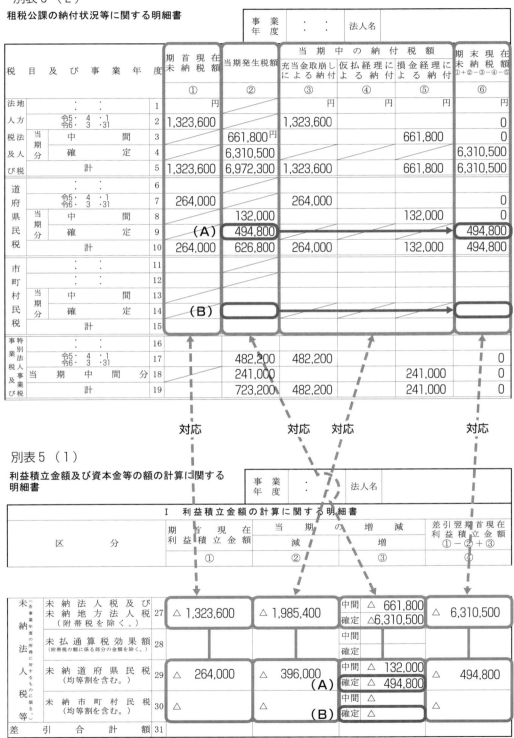

Step ③ ▶納税充当金を別表に記載しよう

　未払法人税等（納税充当金）は、別表 5（2）で把握をします。

　法人税法では、税金の見積り計上は損金となりません。

　したがって、別表 4 で加算の申告調整をします。

　この申告調整を行っても、所得金額は、絶対に変わりません。

　なぜなら、Step 1 で同額の当期純利益が減少しているからです。

　つまり、会計上、未払法人税等をいくら計上しても**当期純利益の減少＝別表 4 の加算額**

となりますので、所得金額は変動せず法人税額には影響がないのです。

演習　別表を完成させよう　219

費用に計上した未払法人税等

別表5（2）

				納　税　充　当　金　の　計　算						
期　首　納　税　充　当　金	30	2,069,800 円			損金算入のもの	36		円
繰入額	損金経理をした納税充当金	31	9,321,600		その他	損金不算入のもの	37	
		32		取崩額			38	
	計 (31)＋(32)	33	9,321,600			仮払税金消却	39	
取崩額	法人税額等 (5の③)＋(10の③)＋(15の③)	34	1,587,600			計 (34)＋(35)＋(36)＋(37)＋(38)＋(39)	40	2,069,800
	事業税及び特別法人事業税 (19の③)	35	482,200		期　末　納　税　充　当　金 (30)＋(33)－(40)	41	9,321,600

別表4「4」へ転記
損金経理をした納税充当金（加算・留保）

B/S期末残高に一致 ←

別表4

所得の金額の計算に関する明細書（簡易様式）

事　業年　度	： ：	法人名	

			総　額	処　　　分		
区　　　分				留　保	社　外　流　出	
			①	②	③	
当 期 利 益 又 は 当 期 欠 損 の 額	1		19,158,510 円	17,158,510 円	配当	2,000,000 円
					その他	
加	損金経理をした法人税及び地方法人税（附帯税を除く。）	2	661,800	661,800		
	損金経理をした道府県民税及び市町村民税	3	132,000	132,000		
	損金経理をした納税充当金	4	9,321,600	9,321,600		
	損金経理をした附帯税（利子税を除く。）、加算金、延滞金（延納分を除く。）及び過怠税	5			その他	

当期純利益が減少する金額＝ 損金とならない金額
　∴所得金額は変わらないため法人税額も変わらない。

別表5（1）

利益積立金額及び資本金等の額の計算に関する
明細書

事　業年　度	： ：	法人名	

		Ⅰ　利　益　積　立　金　額　の　計　算　に　関　す　る　明　細　書			
区　　　分		期　首　現　在利　益　積　立　金　額	当　期　の　増　減		差引翌期首現在利益積立金額①－②＋③
			減	増	
		①	②	③	④
納　税　充　当　金	26	2,069,800	2,069,800	9,321,600	9,321,600

対応

これで、すべての別表の記載が完了しました。

別表4から別表5（1）への転記が正しく記載されているか検証してみましょう。

Fの金額とGの金額が一致していれば、正しく転記が行われています。

A. 別表4 留保所得金額	別表4「52」②		27,978,210円
B. 期首現在利益積立金額	別表5（1）「31」①		160,542,200円
C. 法人税及び地方法人税	別表5（1）「27」③	中間	△661,800円
		確定	△6,310,500円
D. 都道府県民税	別表5（1）「29」③	中間	△132,000円
		確定	△494,800円
E. 市町村民税	別表5（1）「30」③	中間	0円
		確定	0円
F. 計			180,921,310円
			⇕一致
G. 差引翌期首現在利益積立金額合計	別表5（1）「31」④		180,921,310円

Ⅳ 欠損金と還付金

1 欠損金の処理をマスターしよう

(1) 欠損金とは

　欠損金とは、その事業年度の損金が益金を超える場合における、その超える部分の金額のことをいいます。

　会計上の利益に対応する法人税法の用語が所得であるのに対し、損失に対応する用語が欠損金です。

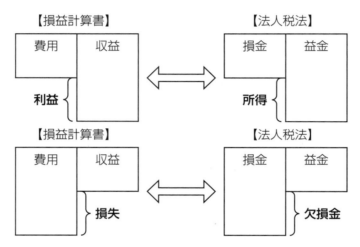

(2) 欠損金の法人税法の取扱い

　法人税法の欠損金の取扱いには2つあり、会社は、次のいずれかを選択することができます。

　① 翌期以降の所得金額からマイナスする（欠損金の繰越控除）
　② 過年度の所得金額からマイナスして、過年度に納めた法人税を還付する（欠損金の繰戻し還付）

　ただし、②の取扱いは、現在、原則として停止中となっています。

　例外として、次の中小法人や会社が解散した事業年度などの特殊なケースについては、その適用が認められています。

　　• 期末の資本金が1億円以下である法人

次に掲げる法人を除きます。
- 大法人（資本金5億円以上の法人等）による完全支配関係がある法人
- 完全支配関係がある複数の大法人に株式の全部を保有されている法人

❶ 欠損金の繰越控除

　欠損金の繰越控除は、過去の事業年度で発生した欠損金を当期の所得からマイナスする、つまり、当期の損金にする制度です。

　ただし、次の要件をクリアしなければなりません。

　　イ　その事業年度開始の日前一定の期間（＊）以内に開始した事業年度の欠損金であること
　　ロ　青色申告書を提出した事業年度の欠損金であること
　　ハ　欠損金の発生した事業年度以降、連続して確定申告書を提出していること

　言いかえると、当期で発生した欠損金は、翌期以後一定の期間、繰り越すことができるのです。

　ところが、一定の期間を超えても控除しきれない欠損金は切り捨てられ、残念ながら、法人税を計算する上では何も考慮されません。

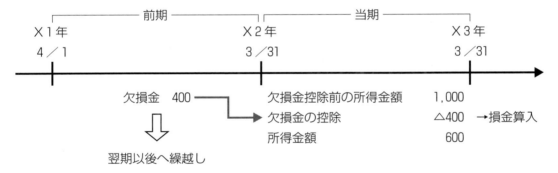

（＊）・平成20年4月1日以後に終了した事業年度において生じた欠損金　→　9年
　　　・平成30年4月1日以後に開始する事業年度において生じた欠損金　→　10年

　欠損金の繰越控除制度は、平成23年12月税制改正及び平成27年度税制改正において、欠損金の繰越期間と一事業年度で控除できる繰越欠損金の限度額の改正が行われました。

　そして、平成28年度税制改正では、欠損金の繰越期間（10年）の措置について1年先送りとなり、また、控除限度額の段階的な引下げについて見直しが行われました。

年度等＼項目	欠損金の繰越期間	一事業年度で控除できる繰越欠損金の限度額			
^	^	中小法人等	中小法人等以外		
^	^	^	事業年度開始日	控除限度額	
平成23年12月改正前	7年	その事業年度の所得金額			
平成23年12月税制改正	9年 (注)平成20年4月1日以後に終了した事業年度において生じた欠損金について適用	（改正なし）その事業年度の所得金額	平成24年4月1日～平成27年3月31日	所得金額の80%	
平成27年度税制改正	10年 (注)平成29年4月1日以後に開始する事業年度において生じた欠損金について適用		平成27年4月1日～平成28年3月31日	所得金額の65%	
^	^	^	平成28年4月1日～平成29年3月31日	所得金額の65%	
^	^	^	平成29年4月1日以後	所得金額の50%	

⇩ 平成28年度税制改正で、1年間先送り

⇩ 平成28年度税制改正で、平成28年4月1日以後に開始する事業年度の控除限度額の段階的な引下げについて見直し

平成28年度税制改正	10年 (注)平成30年4月1日以後に開始する事業年度において生じた欠損金について適用	（改正なし）その事業年度の所得金額	平成28年4月1日～平成29年3月31日	所得金額の60%
^	^	^	平成29年4月1日～平成30年3月31日	所得金額の55%
^	^	^	平成30年4月1日以後	所得金額の50%

＜イメージ図：3月決算法人の欠損金の繰越期間＞

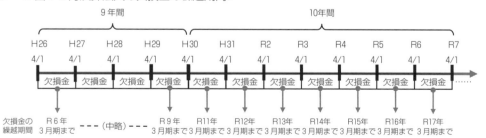

＜一事業年度で控除できる繰越欠損金の限度額の例＞
中小法人等以外の法人（３月決算）の場合

項目 事業年度	① 控除前所得金額 （△欠損金額）	② 繰越欠損金の控除額	③ 控除後所得金額 （①－②）	④ 翌期以後へ 繰り越す欠損金
平成31年３月期	△1,000	―	―	1,000
令和２年３月期	400	200（①の50％が限度）	200	800
令和３年３月期	380	190（①の50％が限度）	190	610
令和４年３月期	450	225（①の50％が限度）	225	385
令和５年３月期	300	150（①の50％が限度）	150	235
令和６年３月期	280	140（①の50％が限度）	140	95
令和７年３月期	240	95	145	0

❷　欠損金の繰戻し還付

　欠損金の繰戻し還付は、当期に発生した欠損金を当期前１年以内に開始した事業年度の所得から控除し、既に納付した法人税を還付する制度です。

　ですから、事業年度が１年間である会社の場合、前期の納めるべき法人税がなければ、この制度は使えません。また、この制度の適用を受けるための要件は、次のとおりです。

　　イ　欠損金をマイナスする事業年度から欠損金が発生した事業年度の前事業年度まで、青色申告書を提出していること
　　ロ　欠損金が発生した事業年度の青色申告書を申告期限までに提出していること
　　ハ　ロの申告書と同時に「欠損金の繰戻しによる還付請求書」を提出していること

青色申告と白色申告

　法人税法では、会社が帳簿書類を備付け、記録や保存することを奨励するために、青色申告という制度が設けられています。

　会社が青色申告法人となるためには、原則、事業年度開始前に承認申請書を税務署に提出します。青色申告法人となると、いろいろな税制上の特典を受けることができます。

- 青色欠損金の繰越控除
- 欠損金の繰戻還付
- 中小企業者の少額減価償却資産の取得価額の損金算入の特例
- 一定の設備投資を行ったときの特別償却又は税額控除　など

　一方、白色申告は青色申告以外の法人です。

　通常、帳簿書類の備付け、記録、保存を行っていない会社はありませんので、ほとんどの会社は青色申告の承認を受けています。

演習　別表7（1）を作成してみよう

欠損金の繰越控除を行うときの別表の記載をみてみましょう。
欠損金は、別表7（1）で把握を行います。

演習　別表7（1）を作成してみよう　227

欠損金の損金算入等に関する明細書

事業 年度	・　・ ・　・	法人名	

別表七（一）　令六・四・一以後終了事業年度分

控除前所得金額 （別表四「43の①」）	**当期の控除限度額の計算** 損金算入限度額 (1) × 50又は100/100	2	円

事業年度	区　　分	控除未済欠損金額 3	当 期 控 除 額 (当該事業年度の(3)と((2)－当該事業年度前の (4) の合計額）のうち少ない金額) 4	翌 期 繰 越 額 ((3)－(4)) 又は(別表七(四)「15」) 5
・　・	青色欠損・連結みなし欠損・災害損失	円	円	
・　・	青色欠損・連結みなし欠損・災害損失			円
・　・	青色欠損・連結みなし欠損・災害損失			
・　・	青色欠損・連結みなし欠損・災害損失			
・　・	青色欠損・連結みなし欠損・災害損失	**過年度から繰り越された欠損金**		
・　・	青色欠損・連結みなし欠損・災害損失			
・　・	青色欠損・連結みなし欠損・災害損失			
・　・	青色欠損・連結みなし欠損・災害損失			
・　・	青色欠損・連結みなし欠損・災害損失			
・　・	青色欠損・連結みなし欠損・災害損失			
	計			

当期分	欠　　損　　金　　額 （別表四「52の①」）		欠損金の繰戻し額	
	同上のうち	青　色　欠　損　金　額	**当期に発生した欠損金**	
		災害損失欠損金額	(16の③)	
	合　　　　計			

災害により生じた損失の額がある場合の繰越控除の対象となる欠損金額等の計算

災　　害　　の　　種　　類		災害のやんだ日又はやむ を得ない事情のやんだ日	・　　・

災害を受けた資産の別		棚　卸　資　産 ①	固　定　資　産 (固定資産に準ずる繰延資産を含む。) ②	計 ①＋② ③
当　期　の　欠　損　金　額 （別表四「52の①」）	6			円
災害により生じた損失の額	資産の滅失等により生じた損失の額	7	円	円
	被害資産の原状回復のための 費用等に係る損失の額	8		
	被害の拡大又は発生の防止 のための費用に係る損失の額	9		
	計 (7)＋(8)＋(9)	10		
保険金又は損害賠償金等の額	11			
差引災害により生じた損失の額 (10)－(11)	12			
同上のうち所得税額の還付又は欠損金の 繰戻しの対象となる災害損失金額	13			
中間申告における災害損失欠損金の繰戻し額	14			
繰戻しの対象となる災害損失欠損金額 ((6の③)と((13の③)－(14の③))のうち少ない金額)	15			
繰越控除の対象となる欠損金額 ((6の③)と((12の③)－(14の③))のうち少ない金額)	16			

【ケース１】当期に発生した欠損金を翌期以降へ繰り越す場合

当期に欠損金（10,000,000円）が発生し、翌期以降へ繰り越す場合の別表の記載をみてみましょう。

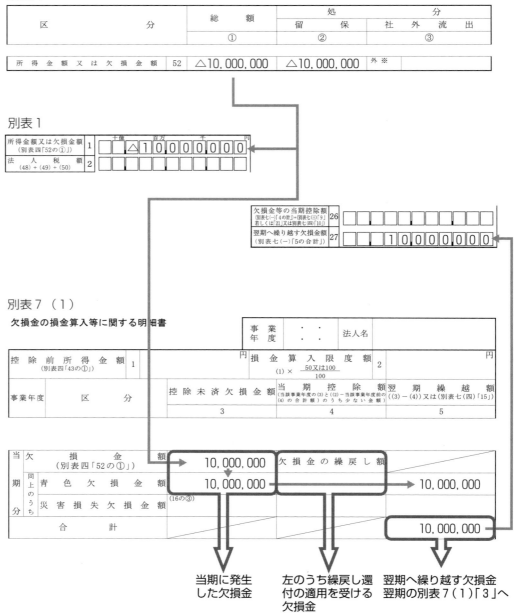

【ケース２】中小法人等が過年度の欠損金を当期の所得金額からマイナスする場合

過年度から繰り越された欠損金を当期の所得からマイナスする場合の別表の記載をみてみましょう。

前々期／令和５年３月期：欠損金　　　　　　　　　6,000,000円
前　期／令和６年３月期：欠損金　　　　　　　　　2,000,000円
当　期／令和７年３月期：欠損金控除前の所得金額　　6,300,000円

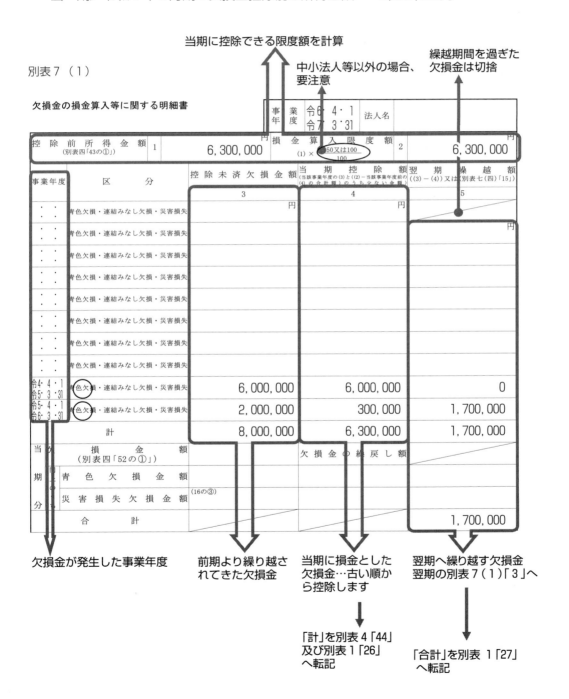

IV 欠損金と還付金

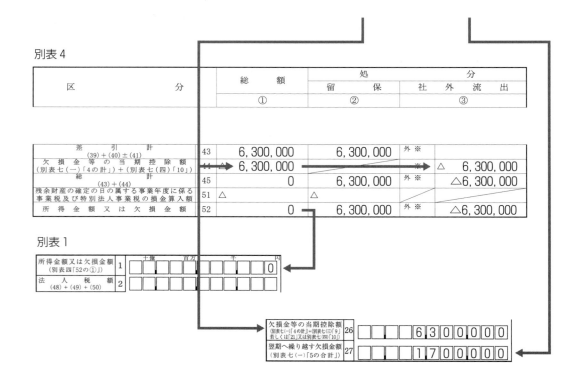

2 還付となるときの処理を マスターしよう

当期の所得金額がゼロであるときや欠損金が発生したときには、特別な税金がない限り、法人税を納める必要はありません。

この場合、次のようなケースのときには、法人税が還付されます。

- 中間申告により法人税を納めている
- 源泉所得税等について税額控除を行う

演習 還付となるときの別表を作成してみよう

たとえば、次のケースでみてみましょう。

当期（令和6年4月1日～令和7年3月31日）の納税一覧

税目	年税額	中間申告による納税額など（＊）	確定申告による還付額
法人税	0円	669,180円	669,180円
地方法人税	0円	61,800円	61,800円
住民税	0円	132,000円	132,000円
事業税・特別法人事業税	0円	241,000円	241,000円
合計	0円	1,103,980円	1,103,980円

（＊）法人税の中間申告による納税額などの内訳は次のとおりです。
　　　600,000円（中間申告）＋69,180円（所得税額控除）＝669,180円
　　　住民税は、所得金額に関係なく均等割が課税されます。
　　　設問では、説明を分かりやすくするために、均等割は考慮していません。

当期の決算で、確定申告による還付額の未収還付法人税等を計上します。

決算整理仕訳は、次のとおりです。

貸方科目は、税金の支払時に費用に計上しているため、費用を取り消します。

借方		貸方	
未収還付法人税等 ＜資産＞	1,103,980	法人税、住民税及び事業税 ＜費用＞	1,103,980

演習 還付となるときの別表を作成してみよう

Step 1 ▶別表1の記載

還付となる場合の別表1の記載を確認してみましょう。

地方法人税の創設に伴い、法人税と地方法人税に区分して記載します。

1. 法人税の還付金額

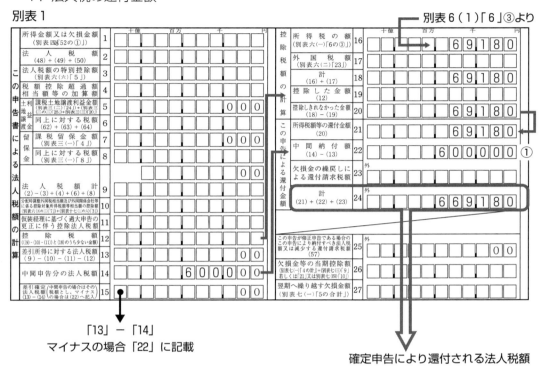

「13」-「14」
マイナスの場合「22」に記載

確定申告により還付される法人税額

2. 地方法人税の還付金額と還付口座の記載

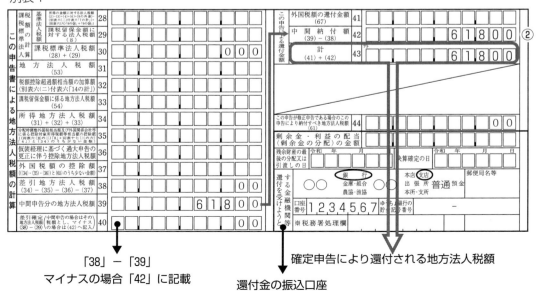

「38」-「39」
マイナスの場合「42」に記載

還付金の振込口座

確定申告により還付される地方法人税額

234　Ⅳ　欠損金と還付金

①と②の合計

別表5（2）

租税公課の納付状況等に関する明細書

事　業 年　度	：　：	法人名	

税　目　及　び　事　業　年　度				期首現在 未　納　税　額	当期発生税額	当　期　中　の　納　付　税　額			期末現在 未　納　税　額 ①+②-③-④-⑤
						充当金取崩し による納付	仮払経理に よ　る　納　付	損金経理に よ　る　納　付	
				①	②	③	④	⑤	⑥
法地		：　：	1	円		円	円	円	円
人方		令5・　4・1 令6・　3・31	2	1,323,600		1,323,600			0
税法	当 期 分	中　　　　間	3		661,800円			661,800	0
及人		確　　　　定	4		△661,800				△661,800
び税		計	5	1,323,600	0	1,323,600		661,800	△661,800

演習　還付となるときの別表を作成してみよう　235

Step ② ▶別表5（2）の記載

中間申告などの税金を納付したときの借方科目は、決算整理仕訳により、資産に振り替えられました。

したがって、別表5（2）の納付時の借方科目は、**④仮払経理による納付**となります。

別表5（2）

税　目　及　び　事　業　年　度				期首現在未納税額 ①	当期発生税額 ②	当期中の納付税額			期末現在未納税額 ①+②-③-④-⑤ ⑥
						充当金取崩しによる納付 ③	仮払経理による納付 ④	損金経理による納付 ⑤	
法人税地方法人税及び税	: :		1	円		円	円	円	円
	令5・4・1 令6・3・31		2	1,323,600		1,323,600			0
	当期分	中　間	3		661,800円		661,800		0
		確　定	4		△661,800				△661,800
	計		5	1,323,600	0	1,323,600	661,800		△661,800
道府県民税	: :		6						
	令5・4・1 令6・3・31		7	264,000		264,000			0
	当期分	中　間	8		132,000		132,000		0
		確　定	9		△132,000				△132,000
	計		10	264,000	0	264,000	132,000		△132,000
市町村民税	: :		11						
	: :		12						
	当期分	中　間	13						
		確　定	14						
	計		15						
事業税特別法人事業税及び			16						
	令5・4・1 令6・3・31		17		482,200	482,200			0
	当　期　中　間　分		18		241,000		241,000		0
	計		19		723,200	482,200	241,000		0

Step 3 ▶別表4の申告調整

❶ 未収還付法人税等を減算

納付した税金を資産に計上したときには、一旦、別表4において、全額損金に振り替えます。したがって、減算の申告調整を行います。

すると、「損金経理による納付」と同様の考え方となります。

別表4

区　　　　　　　分	総　額	処　　　　　　　分		
		留　保	社　外　流　出	
	①	②	③	

【減算】

| 仮払税金認定損 | 1,103,980 | → | 1,103,980 | |

別表5（1）

利益積立金額及び資本金等の額の計算に関する明細書

| | 事　業年　度 | ：　： | 法人名 | |

Ⅰ　利益積立金額の計算に関する明細書				
区　　　　分	期　首　現　在利　益　積　立　金　額	当　期　の　増　減		差引翌期首現在利　益　積　立　金　額①－②＋③
		減	増	
	①	②	③	④
仮払税金　22		1,103,980	→	△1,103,980

❷ 損金に振り替えた税金の申告調整

別表4で損金に振り替えた税金の法人税法の取扱いは、次のとおりです。

いままでみてきた税金の取扱いと同様です。

中間申告による事業税は、中間申告書を提出した日の損金となります。

一方、事業税の還付金は、確定申告書を提出した日（翌期）の益金となります。

税目	金額	法人税法の取扱い	申告調整
法人税・地方法人税	661,800円	損金とならない	加算
源泉税（控除所得税）	69,180円	所得税額控除により損金とならない	加算
住民税	132,000円	損金とならない	加算
事業税・特別法人事業税	241,000円	損金となる	なし
合計	1,103,980円		

上記の申告調整を別表4で行います。

演習 還付となるときの別表を作成してみよう **237**

別表4

区　　　　分		総　　額	処　　　　　　分		
			留　　保	社　外　流　出	
		①	②	③	

【加算】

加	損 金 経 理 を し た 法 人 税 及 び 地 方 法 人 税 (附 帯 税 を 除 く 。)	2	661,800	661,800		
	損金経理をした道府県民税及び市町村民税	3	132,000	132,000		
	損 金 経 理 を し た 納 税 充 当 金	4				

【加算】

法 人 税 額 か ら 控 除 さ れ る 所 得 税 額 （別表六（一）「6の③」）	29	69,180		その他	69,180

別表6（1）「6」③から転記

別表5（1）

		I　利益積立金額の計算に関する明細書					
区　　　　分		期　首　現　在 利 益 積 立 金 額	当　期　の　増　減				差引翌期首現在 利 益 積 立 金 額 ①－②＋③
			減		増		
		①	②		③		④
未納法人税等（退職年金等積立金に対するものを除く。）	未 納 法 人 税 及 び 未 納 地 方 法 人 税 （ 附 帯 税 を 除 く 。）	27	△	△	661,800	中間	△ 661,800	△
						確定	△	
	未 払 通 算 税 効 果 額 （附帯税の額に係る部分の金額を除く。）	28				中間		
						確定		
	未 納 道 府 県 民 税 （ 均 等 割 額 を 含 む 。）	29	△	△	132,000	中間	△ 132,000	△
						確定	△	
	未 納 市 町 村 民 税 （ 均 等 割 額 を 含 む 。）	30	△	△		中間	△	△
						確定	△	

238 Ⅳ　欠損金と還付金

Step 4　▶別表5（2）から別表5（1）へ

　確定申告による還付額を、別表5（2）から別表5（1）へ転記します。

　別表5（1）では、本来は、未納法人税等「27」、未納道府県民税「29」、未納市町村民税「30」の③確定欄に記載したいところです。

　しかしながら、△（マイナス）で固定されていますので、新たな行を設けて記載します。

別表5（2）

税　目　及　び　事　業　年　度				期首現在未納税額	当期発生税額	当期中の納付税額			期末現在未納税額①+②-③-④-⑤
						充当金取崩しによる納付	仮払経理による納付	損金経理による納付	
				①	②	③	④	⑤	⑥
法地人方税法及人び税		：　：	1	円			円	円	円
		令5：4：1令6：3：31	2	1,323,600		1,323,600			0
	当期分	中　　間	3		661,800 円		661,800		0
		確　　定	4		△661,800				△661,800
		計	5	1,323,600	0	1,323,600	661,800		△661,800
道府県民税		：　：	6						
		令5：4：1令6：3：31	7	264,000		264,000			0
	当期分	中　　間	8		132,000		132,000		0
		確　　定	9		△132,000				△132,000
		計	10	264,000	0	264,000	132,000		△132,000

別表5（1）

Ⅰ　利益積立金額の計算に関する明細書					
区　　分		期首現在利益積立金額	当　期　の　増　減		差引翌期首現在利益積立金額①-②+③
			減	増	
		①	②	③	④
仮払税金	22		1,103,980		△1,103,980
未収還付法人税等	23			661,800	661,800
未収還付住民税	24			132,000	132,000

〈省　略〉

未納法人税等（各事業年度の所得に対するものに限る。）	未　納　法　人　税　及　び未　納　地　方　法　人　税（附帯税を除く。）	27	△1,323,600	△　1,985,400	中間	△　661,800	△
					確定	△	
	未　払　通　算　税　効　果　額（附帯税の額に係る部分の金額を除く。）	28			中間		
					確定		
	未　納　道　府　県　民　税（均等割を含む。）	29	△　264,000	△　396,000	中間	△　132,000	△
					確定	△	
	未　納　市　町　村　民　税（均等割を含む。）	30	△	△	中間	△	△
					確定	△	

演習　還付となるときの別表を作成してみよう　239

○別表4と別表5（1）の検証

　別表4から別表5（1）への転記が正しく記載されているか検証するときには、Step 4で新たに設けた「未収還付法人税等」、「未収還付住民税」の金額も加味します。

　Eの金額とFの金額が一致していれば、別表4と別表5（1）の転記は正しく行われています。

A．別表4留保総計	別表4　　　　　「52」②
B．期首現在利益積立金合計	別表5（1）「31」①
C．中間分、確定分の法人税、都道府県民税、市町村民税	別表5（1）「27」「29」「30」③
D．未収還付法人税等、未収還付住民税	別表5（1）「23」「24」③
E．　　　　　　　　　　計	

⇕一致

F．差引翌期首現在利益積立金額合計	別表5（1）「31」④

別表4

区　　　　　分	総　額	処　　　　分	
		留　保	社　外　流　出
	①	②	③

所 得 金 額 又 は 欠 損 金 額　52		A	外※

別表5(1)

I　利益積立金額の計算に関する明細書				
区　　　　分	期 首 現 在 利 益 積 立 金 額	当　期　の　増　減		差引翌期首現在利益積立金額 ①－②＋③
		減	増	
	①	②	③	④
仮払税金　22		1,103,980		△1,103,980
未収還付法人税等　23			D　661,800	661,800
未収還付住民税　24			132,000	132,000

〈省　略〉

未 納 法 人 税 等	未 納 法 人 税 及 び 未 納 地 方 法 人 税（附帯税を除く。）　27	△ 1,323,600	△ 1,985,400	中間 △ 661,800 C	△
				確定 △	
	未 払 通 算 税 効 果 額（附帯税の額に係る部分の金額を除く。）　28			中間	
				確定	
	未 納 道 府 県 民 税（均等割を含む。）　29	△ 264,000	△ 396,000	中間 △ 132,000	△
				確定 △	
	未 納 市 町 村 民 税（均等割を含む。）　30	△	△	中間 △	△
				確定 △	
差 引 合 計 額　31	B				F

資料

（未払法人税等計上前）　I　貸 借 対 照 表

令和7年3月31日現在

（単位：円）

資　産　の　部		負　債　の　部	
科　　　目	金　　　額	科　　　目	金　　　額
I　流　動　資　産	＜ 125,540,019 ＞	I　流　動　負　債	＜ 56,103,390 ＞
現 金 及 び 預 金	20,640,019	支　払　手　形	9,000,000
受　取　手　形	16,000,000	買　　掛　　金	20,000,000
売　　掛　　金	54,000,000	未　　払　　金	5,000,000
商　　　　　品	23,000,000	短 期 借 入 金	9,000,000
立　　替　　金	700,000	未　払　費　用	1,403,390
短 期 貸 付 金	4,000,000	未 払 法 人 税 等	
その他流動資産	9,300,000	未 払 消 費 税 等	4,500,000
貸 倒 引 当 金	△ 2,100,000	預　　り　　金	900,000
		賞 与 引 当 金	6,300,000
II　固　定　資　産	＜ 173,043,481 ＞	II　固　定　負　債	＜ 12,000,000 ＞
(1)有形固定資産	(114,473,481)	長 期 借 入 金	12,000,000
建　　　　　物	65,800,000		
車 両 運 搬 具	318,481	負　債　合　計	68,103,390
器 具 備 品	355,000	純　資　産　の　部	
土　　　　　地	48,000,000	I　株　主　資　本	＜ 230,480,110 ＞
		1 資　　本　　金	50,000,000
(2)無形固定資産	(1,070,000)	2 利　益　剰　余　金	(180,480,110)
電 話 加 入 権	200,000	(1)利 益 準 備 金	4,200,000
ソ フ ト ウ ェ ア	870,000	(2)その他利益剰余金	
		繰 越 利 益 剰 余 金	176,280,110
(3)投資その他の資産	(57,500,000)		
投 資 有 価 証 券	57,500,000		
		純　資　産　合　計	230,480,110
資　産　合　計	298,583,500	負 債 及 び 純 資 産 合 計	298,583,500

（未払法人税等計上前）　Ⅱ　損 益 計 算 書

自　令和 6 年 4 月 1 日
至　令和 7 年 3 月31日

（単位：円）

1　Ⅰ　売　　上　　高		600,000,000
2　Ⅱ　売　上　原　価		400,000,000
3　　　　　　売　上　総　利　益		200,000,000
4　Ⅲ　販 売 費 及 び 一 般 管 理 費		
5　　　　　給　　与　　手　　当	120,000,000	
6　　　　　法　定　福　利　費	18,000,000	
7　　　　　賞 与 引 当 金 繰 入 額	6,300,000	
8　　　　　広　告　宣　伝　費	4,300,000	
9　　　　　接　待　交　際　費	9,383,190	
10　　　　　備　　　品　　　費	540,000	
11　　　　　減　価　償　却　費	3,089,718	
12　　　　　寄　　　附　　　金	800,000	
13　　　　　租　税　公　課	900,000	
14　　　　　貸 倒 引 当 金 繰 入 額	600,000	
15　　　　　そ　の　他　販　売　費	6,674,139	
16　　　　　雑　　　　　　　費	500,000	171,087,047
17　　　　　　　営　　業　　利　　益		28,912,953
18　Ⅳ　営　業　外　収　益		
19　　　　　受 取 利 息 配 当 金	1,190,036	
20　　　　　雑　　　収　　　入	84,927	1,274,963
21　Ⅴ　営　業　外　費　用		
22　　　　　支　払　利　息	400,000	
23　　　　　雑　　　損　　　失	200,000	600,000
24　　　　　　経　　常　　利　　益		29,587,916
25　　　　　税 引 前 当 期 純 利 益		29,587,916
26　　　　　法人税、住民税及び事業税		1,107,806
27　　　　　　当　期　純　利　益		28,480,110

(未払法人税等計上前)

Ⅲ　株主資本等変動計算書

自　令和6年4月1日
至　令和7年3月31日

(単位：円)

| | 株主資本 | | | | | | | | | 純資産合計 |
| | 資本金 | 資本剰余金 | | | 利益剰余金 | | | 自己株式 | 株主資本合計 | |
		資本準備金	その他資本剰余金	資本剰余金合計	利益準備金	その他利益剰余金 繰越利益剰余金	利益剰余金合計			
前期末残高	50,000,000			0	4,000,000	150,000,000	154,000,000		204,000,000	204,000,000
当期変動額										
新株の発行				0			0		0	0
剰余金の配当						△ 2,000,000	△ 2,000,000		△ 2,000,000	△ 2,000,000
剰余金の配当に伴う利益準備金の積立					200,000	△ 200,000	0		0	0
当期純利益						28,480,110	28,480,110		28,480,110	28,480,110
当期変動額合計	0	0	0	0	200,000	26,280,110	26,480,110	0	26,480,110	26,480,110
当期末残高	50,000,000	0	0	0	4,200,000	176,280,110	180,480,110	0	230,480,110	230,480,110

(注)

期末の発行済株式総数	普通株式	1,000 株
期末の自己株式の数		0 株
事業年度中に行った剰余金の配当		2,000,000 円
事業年度末日後に行う剰余金の配当		円

資料 245

FB0613

別表一 各事業年度の所得に係る申告書・内国法人の分……令六・四・一以後終了事業年度等分

		青色申告	一連番号	
税務署処理欄		整理番号	1 2 3 4 5 6 7 8	
		事業年度（至）		
		売上金額		
		申告年月日		

納税地 東京都千代田区大手町○○○
電話（00　）0000 － 0000

（フリガナ） ステップ アップ
法人名 ステップアップ株式会社

法人番号 1 2 3 4 5 6 7 8 9 0 1 2 3

（フリガナ） ゼイキンタロウ
代表者 税金太郎

代表者住所 東京都港区○○○

令和 **06** 年 **04** 月 **01** 日
令和 **07** 年 **03** 月 **31** 日

事業年度分の法人税 確定 申告書
課税事業年度分の地方法人税 確定 申告書
（中間申告の場合の計算期間 令和　年　月　日／令和　年　月　日）

法人区分
事業種目 電子機器の卸売業
期末現在の資本金の額又は出資金の額 50,000,000 非中小法人
同非区分
旧納税地及び旧法人名等
添付書類

適用額明細書提出の有無：無
税理士法第30条の書面提出有：有
税理士法第33条の2の書面提出有

この申告書による法人税額の計算			十億 百万 千 円
所得金額又は欠損金額（別表四「52の①」）	1		3 0 3 4 5 4 3 0
法人税額 (48)＋(49)＋(50)	2		6 3 8 4 0 4 0
法人税額の特別控除額（別表六（六）「5」）	3		
税額控除超過額相当額等の加算額	4		
土地譲渡税金 課税土地譲渡利益金額（別表三（二）「24」）＋（別表三（二の二）「26」）＋（別表三（三）「20」）	5		0 0 0
同上に対する税額 (62)＋(63)＋(64)	6		
留保金 課税留保金額（別表三（一）「4」）	7		0 0 0
同上に対する税額（別表三（一）「8」）	8		
			0 0
法人税額計 (2)－(3)＋(4)＋(6)＋(8)	9		6 3 8 4 0 4 0
分配時調整外国税相当額及び外国関係会社等に係る控除対象所得税額等相当額の控除額（別表六（五の二）「7」）＋（別表十七（三の六）「3」）	10		
仮装経理に基づく過大申告の更正に伴う控除法人税額	11		
控除税額 (((9)－(10)－(11)）と(18)のうち少ない金額)	12		6 9 1 8 0
差引所得に対する法人税額 (9)－(10)－(11)－(12)	13		6 3 1 4 8 0 0
中間申告分の法人税額	14		6 0 0 0 0 0
差引確定／中間申告の場合はその法人税額／税額とし、マイナスの場合は(23)へ記入 (13)－(14)	15		5 7 1 4 8 0 0

この申告書による地方法人税額の計算			十億 百万 千 円
課税標準法人税額 基準法人税額に対する法人税額（(2)－(3)＋(4)＋(6)＋(9の5)）または別表六（六）「9の内」	28		6 3 8 4 0 4 0
課税留保金額に対する法人税額 (8)	29		
課税標準法人税額 (28)＋(29)	30		6 3 8 4 0 0 0
地方法人税額 (53)	31		6 5 7 5 5 2
税額控除超過額相当額の加算額（別表六（二）付表六「14の計」）	32		
課税留保金額に係る地方法人税額 (54)	33		
所得地方法人税額 (31)＋(32)＋(33)	34		6 5 7 5 5 2
分配時調整外国税相当額及び外国関係会社等に係る控除対象所得税額等相当額の控除額（別表六（五の二）「8」）＋（別表十七（三の六）「14」）のうち少ない金額	35		
仮装経理に基づく過大申告の更正に伴う控除地方法人税額	36		
外国税額の控除額 (((34)－(35)－(36)）と(55)のうち少ない金額)	37		
差引地方法人税額 (34)－(35)－(36)－(37)	38		6 5 7 5 0 0
中間申告分の地方法人税額	39		6 1 8 0 0
差引確定／中間申告の場合はその地方法人税額／税額とし、マイナスの場合は(42)へ記入 (38)－(39)	40		5 9 5 7 0 0

控除税額の計算			十億 百万 千 円
所得税の額（別表六（一）「6の③」）	16		6 9 1 8 0
外国税額（別表六（二）「23」）	17		
計 (16)＋(17)	18		6 9 1 8 0
控除した金額 (12)	19		6 9 1 8 0
控除しきれなかった金額 (18)－(19)	20		0
この申告による還付金額 所得税額等の還付金額 (20)	21		
中間納付額 (14)－(13)	22		
欠損金の繰戻しによる還付請求税額	23		
計 (21)＋(22)＋(23)	24		
この申告が修正申告である場合のこの申告により納付すべき法人税額又は減少する還付請求税額 (57)	25		0 0
欠損金等の当期控除額（別表七（一）「4の計」＋（別表七（二）「9」若しくは「21」または別表七（四）「10」）	26		
翌期へ繰り越す欠損金額（別表七（一）「5の合計」）	27		

この申告による還付金額			十億 百万 千 円
外国税額の還付金額 (67)	41		
中間納付額 (39)－(38)	42		
計 (41)＋(42)	43		
この申告が修正申告である場合のこの申告により納付すべき地方法人税額 (61)	44		0 0

剰余金・利益の配当（剰余金の分配）の金額： 2 0 0 0 0 0 0
残余財産の最後の分配または引渡しの日
決算確定の日 令和 **07 06 28**

還付を受けようとする金融機関等：銀行・金庫・組合・農協・漁協／本店・支店・出張所・本所・支所／預金／ゆうちょ銀行の貯金記号番号

※税務署処理欄

税理士署名

事 業 年度等	令和 6・4・1 令和 7・3・31	法人名	ステップアップ株式会社

別表一次葉　令六・四・一以後終了事業年度等分

法 人 税 額 の 計 算

(1)のうち中小法人等の年800万円 相 当 額 以 下 の 金 額 ((1)と800万円×12/12のうち少ない金額)又は(別 表一付表「5」)	45	8,000,000	(45) の 15 ％ 相 当 額	48	1,200,000
(1)のうち特例税率の適用がある協同組合 等の年10億円相当額を超える金額 (1)−10億円×12/12	46	000	(46) の 22 ％ 相 当 額	49	
そ の 他 の 所 得 金 額 (1)−(45)−(46)	47	22,345,000	(47) の 23.2 ％ 相 当 額	50	5,184,040

地 方 法 人 税 額 の 計 算

所得の金額に対する法人税額 (28)	51	6,384,000	(51) の 10.3 ％ 相 当 額	53	657,552
課税留保金額に対する法人税額 (29)	52	000	(52) の 10.3 ％ 相 当 額	54	

こ の 申 告 が 修 正 申 告 で あ る 場 合 の 計 算

法人税額の計算	この申告前の	法 人 税 額	55		地方法人税額の計算	この申告前の	確 定 地 方 法 人 税 額	58	
		還 付 金 額	56	外			還 付 金 額	59	
	この申告により納付すべき法人 税額又は減少する還付請求税額 ((15)−(55)) 若しくは((15)+(56)) 又は((56)−(24))		57	外 00		この申告により納付 すべき地方法人税額 ((40)−(58)) 若しくは((40)+(59) +(60)) 又は(((59)−(43))+((60) −(43の外書)))		61	00

土 地 譲 渡 税 額 の 内 訳

土 地 譲 渡 税 額 (別表三(二)「25」)	62	0	土 地 譲 渡 税 額 (別表三(三)「21」)	64	
同 表 三 上 (別表三(二の二)「26」)	63	0			00

地 方 法 人 税 額 に 係 る 外 国 税 額 の 控 除 額 の 計 算

外 国 税 額 (別表六(二)「56」)	65		控 除 し き れ な か っ た 金 額 (65) − (66)	67	
控 除 し た 金 額 (37)	66				

資料 247

別表二 令六・四・一以後終了事業年度分

同族会社等の判定に関する明細書

事業年度	令和 6・4・1 令和 7・3・31	法人名	ステップアップ株式会社

同族会社の判定				特定同族会社の判定			
期末現在の発行済株式の総数又は出資の総額	1	内 1,000		(21)の上位1順位の株式数又は出資の金額	11		
(19)と(21)の上位3順位の株式数又は出資の金額	2	1,000		株式数等による判定 (11)/(1)	12		%
株式数等による判定 (2)/(1)	3	100.0 %		(22)の上位1順位の議決権の数	13		
期末現在の議決権の総数	4	内		議決権の数による判定 (13)/(4)	14		%
(20)と(22)の上位3順位の議決権の数	5			(21)の社員の1人及びその同族関係者の合計人数のうち最も多い数	15		
議決権の数による判定 (5)/(4)	6	%		社員の数による判定 (15)/(7)	16		%
期末現在の社員の総数	7			特定同族会社の判定割合 ((12)、(14)又は(16)のうち最も高い割合)	17		
社員の3人以下及びこれらの同族関係者の合計人数のうち最も多い数	8						
社員の数による判定 (8)/(7)	9	%		判定結果	18	同族会社	
同族会社の判定割合 ((3)、(6)又は(9)のうち最も高い割合)	10	100.0					

判定基準となる株主等の株式数等の明細

順位		判定基準となる株主(社員)及び同族関係者		判定基準となる株主等との続柄	株式数又は出資の金額等			
					被支配会社でない法人株主等		その他の株主等	
株式数等	議決権数	住所又は所在地	氏名又は法人名		株式数又は出資の金額 19	議決権の数 20	株式数又は出資の金額 21	議決権の数 22
1		東京都港区	税金太郎	本　人			400	
1		東京都港区	税金花子	配　偶　者			50	
1		東京都世田谷区	税金孝一	父			300	
1		神奈川県横浜市	税金次郎	兄　　弟			50	
2		大阪府大阪市	財務正一	本　人			200	

所得の金額の計算に関する明細書（簡易様式）

事業年度　令和 6・4・1 ～ 令和 7・3・31　　法人名　ステップアップ株式会社

別表四（簡易様式）令六・四・一以後終了事業年度分

区分		総額 ①	留保 ②	社外流出 ③
当期利益又は当期欠損の額	1	19,158,510	17,158,510	配当 2,000,000／その他
加算　損金経理をした法人税及び地方法人税（附帯税を除く。）	2	661,800	661,800	
損金経理をした道府県民税及び市町村民税	3	132,000	132,000	
損金経理をした納税充当金	4	9,321,600	9,321,600	
損金経理をした附帯税（利子税を除く。）、加算金、延滞金（延納分を除く。）及び過怠税	5	5,000		その他 5,000
減価償却の償却超過額	6	50,000	50,000	
役員給与の損金不算入額	7			その他
交際費等の損金不算入額	8	813,190		その他 813,190
通算法人に係る加算額（別表四付表「5」）	9			外※
一括償却資産不算入額	10	300,000	300,000	
貸倒引当金繰入超過額（個別）		250,000	250,000	
貸倒引当金繰入超過額（一括）		166,500	166,500	
賞与引当金繰入額		6,300,000	6,300,000	
小計	11	18,000,090	17,181,900	外※ 0／818,190
減算　減価償却超過額の当期認容額	12			
納税充当金から支出した事業税等の金額	13	482,200	482,200	
受取配当等の益金不算入額（別表八(一)「5」）	14	796,400		※ 796,400
外国子会社から受ける剰余金の配当等の益金不算入額（別表八(二)「26」）	15			※
受贈益の益金不算入額	16			※
適格現物分配に係る益金不算入額	17			※
法人税等の中間納付額及び過誤納に係る還付金額	18			
所得税額等及び欠損金の繰戻しによる還付金額等	19			※
通算法人に係る減算額（別表四付表「10」）	20			※
一括償却資産当期認容	21	380,000	380,000	
賞与引当金認容		5,500,000	5,500,000	
小計	22	7,158,600	6,362,200	※ 796,400／0
仮計 (1)+(11)-(22)	23	30,000,000	27,978,210	外※ △796,400／2,818,190
対象純支払利子等の損金不算入額（別表十七(二の二)「29」又は「34」）	24			その他
超過利子額の損金算入額（別表十七(二の三)「10」）	25	△		※ △
仮計 ((23)から(25)までの計)	26	30,000,000	27,978,210	外※ △796,400／2,818,190
寄附金の損金不算入額（別表十四(二)「24」又は「40」）	27	276,250		その他 276,250
法人税額から控除される所得税額（別表六(一)「6の③」）	29	69,180		その他 69,180
税額控除の対象となる外国法人税の額（別表六(二の二)「7」）	30			その他
分配時調整外国税相当額及び外国関係会社等に係る控除対象所得税額等相当額（別表六(五の二)「5の②」）+（別表十七(三の六)「1」）	31			その他
合計 (26)+(27)+(29)+(30)+(31)	34	30,345,430	27,978,210	外※ △796,400／3,163,620
中間申告における繰戻しによる還付に係る災害損失欠損金額の益金算入額	37			※
非適格合併又は残余財産の全部分配等による移転資産等の譲渡利益額又は譲渡損失額	38			※
差引計 (34)+(37)+(38)	39	30,345,430	27,978,210	外※ △796,400／3,163,620
更生欠損金又は民事再生等評価換えが行われる場合の再生等欠損金の損金算入額（別表七(三)「9」又は「21」）	40	△		※ △
通算対象欠損金額の損金算入額又は通算対象所得金額の益金算入額（別表七の二「5」又は「11」）	41			※
差引計 (39)+(40)±(41)	43	30,345,430	27,978,210	外※ △796,400／3,163,620
欠損金等の当期控除額（別表七(一)「4の計」）+（別表七(四)「10」）	44	△		※ △
総計 (43)+(44)	45	30,345,430	27,978,210	外※ △796,400／3,163,620
残余財産の確定の日の属する事業年度に係る事業税及び特別法人事業税の損金算入額	51	△	△	
所得金額又は欠損金額	52	30,345,430	27,978,210	外※ △796,400／3,163,620

資料 249

利益積立金額及び資本金等の額の計算に関する明細書

事業年度	令和 6・4・1 令和 7・3・31	法人名	ステップアップ株式会社

別表五(一) 令六・四・一以後終了事業年度分

I 利益積立金額の計算に関する明細書

区　　　分		期首現在 利益積立金額 ①	当期の増減 減 ②	当期の増減 増 ③	差引翌期首現在 利益積立金額 ①－②＋③ ④
利 益 準 備 金	1	4,000,000円	円	200,000円	4,200,000円
積　立　金	2				
貸倒引当金（個別）	3			250,000	250,000
貸倒引当金（一括）	4			166,500	166,500
賞与引当金	5	5,500,000	5,500,000	6,300,000	6,300,000
ソフトウエア	6			30,000	30,000
器具及び備品	7			20,000	20,000
一括償却資産	8	560,000	380,000	300,000	480,000
	9				
	10				
	11				
	12				
	13				
	14				
	15				
	16				
	17				
	18				
	19				
	20				
	21				
	22				
	23				
	24				
繰 越 損 益 金（損 は 赤）	25	150,000,000	150,000,000	166,958,510	166,958,510
納 税 充 当 金	26	2,069,800	2,069,800	9,321,600	9,321,600
未納法人税等（各事業年度の所得に対するものに限る。） 未納法人税及び未納地方法人税（附帯税を除く。）	27	△1,323,600	△1,985,400	中間 △661,800 確定 △6,310,500	△6,310,500
未納法人税等 未払通算税効果額（附帯税の額に係る部分の金額を除く。）	28			中間 確定	
未納法人税等 未納道府県民税（均等割を含む。）	29	△264,000	△396,000	中間 △132,000 確定 △494,800	△494,800
未納法人税等 未納市町村民税（均等割を含む。）	30			中間 確定	
差 引 合 計 額	31	160,542,200	155,568,400	175,947,510	180,921,310

II 資本金等の額の計算に関する明細書

区　　　分		期首現在 資本金等の額 ①	当期の増減 減 ②	当期の増減 増 ③	差引翌期首現在 資本金等の額 ①－②＋③ ④
資 本 金 又 は 出 資 金	32	50,000,000円	円	円	50,000,000円
資 本 準 備 金	33				
	34				
	35				
差 引 合 計 額	36	50,000,000			50,000,000

別表五（二）　令六・四・一以後終了事業年度分

租税公課の納付状況等に関する明細書

事業年度　令和 6・4・1　～　令和 7・3・31　　法人名　ステップアップ株式会社

税目及び事業年度			① 期首現在未納税額	② 当期発生税額	当期中の納付税額 ③ 充当金取崩しによる納付	④ 仮払経理による納付	⑤ 損金経理による納付	⑥ 期末現在未納税額 ①+②-③-④-⑤
法人税及び地方法人税	： ：	1	円			円	円	円
	令5・4・1 令6・3・31	2	1,323,600		1,323,600			0
	当期分 中　間	3		661,800 円			661,800	0
	確　定	4		6,310,500				6,310,500
	計	5	1,323,600	6,972,300	1,323,600	0	661,800	6,310,500
道府県民税	： ：	6						
	令5・4・1 令6・3・31	7	264,000		264,000			0
	当期分 中　間	8		132,000			132,000	0
	確　定	9		494,800				494,800
	計	10	264,000	626,800	264,000	0	132,000	494,800
市町村民税	： ：	11						
	： ：	12						
	当期分 中　間	13						
	確　定	14						
	計	15	0	0	0	0	0	0
事業税及び特別法人事業税	： ：	16						
	令5・4・1 令6・3・31	17		482,200	482,200			0
	当期中間分	18		241,000			241,000	0
	計	19	0	723,200	482,200	0	241,000	0
その他	損金算入のもの 利　子　税	20						
	延滞金（延納に係るもの）	21						
		22						
		23						
	損金不算入のもの 加算税及び加算金	24		5,000			5,000	0
	延　滞　税	25						
	延滞金（延納分を除く。）	26						
	過　怠　税	27						
		28						
		29						

納　税　充　当　金　の　計　算

期首納税充当金	30	2,069,800 円		その他	損金算入のもの	36	円
繰入額	損金経理をした納税充当金	31	9,321,600	取崩額	損金不算入のもの	37	
		32				38	
	計 (31)+(32)	33	9,321,600		仮払税金消却	39	
取崩額	法人税額等 (5の③)+(10の③)+(15の③)	34	1,587,600	計 (34)+(35)+(36)+(37)+(38)+(39)		40	2,069,800
	事業税及び特別法人事業税 (19の③)	35	482,200	期末納税充当金 (30)+(33)-(40)		41	9,321,600

通　算　法　人　の　通　算　税　効　果　額　の　発　生　状　況　等　の　明　細

事　業　年　度		① 期首現在未決済額	② 当期発生額	当期中の決済額 ③ 支払額	④ 受取額	⑤ 期末現在未決済額
： ：	42	円		円	円	円
： ：	43					
当　期　分	44		中間　円			
			確定			
計	45					

資料 251

別表六(一)　令六・四・一以後終了事業年度分

所得税額の控除に関する明細書

事業年度	令和 6 ・ 4 ・ 1 令和 7 ・ 3 ・ 31	法人名	ステップアップ株式会社

区　　分		収　入　金　額 ①	①について課される所得税額 ②	②のうち控除を受ける所得税額 ③
公社債及び預貯金の利子、合同運用信託、公社債投資信託及び公社債等運用投資信託(特定公社債等運用投資信託を除く。)の収益の分配並びに特定公社債等運用投資信託の受益権及び特定目的信託の社債的受益権に係る剰余金の配当	1	円 100,036	円 15,320	円 15,320
剰余金の配当(特定公社債等運用投資信託の受益権及び特定目的信託の社債的受益権に係るものを除く。)、利益の配当、剰余金の分配及び金銭の分配(みなし配当等を除く。)	2	250,000	48,497	47,731
集団投資信託(合同運用信託、公社債投資信託及び公社債等運用投資信託(特定公社債等運用投資信託を除く。)を除く。)の収益の分配	3	60,000	9,189	6,129
割　引　債　の　償　還　差　益	4			
そ　　　　の　　　　他	5			
計	6	410,036	73,006	69,180

剰余金の配当(特定公社債等運用投資信託の受益権及び特定目的信託の社債的受益権に係るものを除く。)、利益の配当、剰余金の分配及び金銭の分配(みなし配当等を除く。)、集団投資信託(合同運用信託、公社債投資信託及び公社債等運用投資信託(特定公社債等運用投資信託を除く。)を除く。)の収益の分配又は割引債の償還差益に係る控除を受ける所得税額の計算

個別法による場合	銘　柄	収入金額	所　得　税　額	配当等の計算期間	(9)のうち元本所有期間	所有期間割合 $\frac{(10)}{(9)}$ (小数点以下3位未満切上げ)	控除を受ける所得税額 (8)×(11)
		7	8	9	10	11	12
	投 D証券投資信託	円 60,000	円 9,189	月 6	月 4	0.667	円 6,129

銘柄別簡便法による場合	銘　柄	収入金額	所得税額	配当等の計算期末の所有元本数等	配当等の計算期首の所有元本数等	$\frac{(15)-(16)}{2又は12}$ (マイナスの場合は0)	所有元本割合 $\frac{(16)+(17)}{(15)}$ (小数点以下3位未満切上げ)(1を超える場合は1)	控除を受ける所得税額 (14)×(18)
		13	14	15	16	17	18	19
	配 Z社株式	円 200,000	円 40,840	200	200	0.0	1.000	円 40,840
	配 C社株式	50,000	7,657	500	400	50.0	0.900	6,891

その他に係る控除を受ける所得税額の明細

支払者の氏名又は法人名	支払者の住所又は所在地	支払を受けた年月日	収　入　金　額 20	控除を受ける所得税額 21	参　　考
		・　・	円	円	
		・　・			
		・　・			
		・　・			
		・　・			
計					

受取配当等の益金不算入に関する明細書

事業年度	令和 6・4・1 令和 7・3・31	法人名	ステップアップ株式会社

別表八(一) 令六・四・一以後終了事業年度分

完全子法人株式等に係る受取配当等の額 (9の計)	1	600,000 円	非支配目的株式等に係る受取配当等の額 (33の計)	4	50,000 円
関連法人株式等に係る受取配当等の額 (16の計)	2	90,000	受取配当等の益金不算入額 (1)+((2)−(20の計))+(3)×50%+(4)×(20%又は40%)	5	796,400
その他株式等に係る受取配当等の額 (26の計)	3	200,000			

受取配当等の額の明細

								計
完全子法人株式等	法人名	6	A社					計
	本店の所在地	7	東京都新宿区					
	受取配当等の額の計算期間	8	令 5・4・1 令 6・3・31	・・	・・	・・		
	受取配当等の額	9	600,000 円	円	円	円	600,000 円
関連法人株式等	法人名	10	B社					計
	本店の所在地	11	愛知県名古屋市					
	受取配当等の額の計算期間	12	令 5・10・1 令 6・3・31	・・	・・	・・		
	保有割合	13	90					
	受取配当等の額	14	90,000 円	円	円	円	90,000 円
	同上のうち益金の額に算入される金額	15						
	益金不算入の対象となる金額 (14)−(15)	16	90,000					90,000
	(34)が「不適用」の場合又は別表八(一)付表「13」が「非該当」の場合 (16)×0.04	17	3,600					3,600
	同上以外の場合 (16)/(16の計)	18						
	支払利子等の10％相当額 (((38)×0.1)又は(別表八(一)付表「14」))×(18)	19	円	円	円	円	円
	受取配当等の額から控除する支払利子等の額 (17)又は(19)	20	3,600					3,600
その他株式等	法人名	21	Z社					計
	本店の所在地	22	北海道札幌市					
	保有割合	23	20					
	受取配当等の額	24	200,000 円	円	円	円	200,000 円
	同上のうち益金の額に算入される金額	25						
	益金不算入の対象となる金額 (24)−(25)	26	200,000					200,000
非支配目的株式等	法人名又は銘柄	27	C社					計
	本店の所在地	28	京都府京都市					
	基準日等	29	令 6・9・30	・・	・・	・・		
	保有割合	30	1					
	受取配当等の額	31	50,000 円	円	円	円	50,000 円
	同上のうち益金の額に算入される金額	32						
	益金不算入の対象となる金額 (31)−(32)	33	50,000					50,000

支払利子等の額の明細

令第19条第2項の規定による支払利子控除額の計算	34	不適用	
当期に支払う利子等の額	35	円	
国外支配株主等に係る負債の利子等の損金不算入額、対象純支払利子等の損金不算入額又は恒久的施設に帰せられるべき資本に対応する負債の利子の損金不算入額 (別表十七(一)「35」と別表十七(二の二)「29」のうち多い金額)又は(別表十七(二の二)「34」と別表十七の二(二)「17」のうち多い金額)	36		
超過利子額の損金算入額 (別表十七(二の三)「10」)	37	円	
支払利子等の額の合計額 (35)−(36)+(37)	38		

個別評価金銭債権に係る貸倒引当金の損金算入に関する明細書

事業年度	令和 6・4・1 〜 令和 7・3・31	法人名	ステップアップ株式会社

別表十一(一) 令六・四・一以後終了事業年度分

債務者			F社	G社			計
住 所 又 は 所 在 地	1		東京都新宿区	大阪府大阪市中央区			計
氏 名 又 は 名 称 (外国政府等の別)	2		F社	G社	( )	( )	
個 別 評 価 の 事 由	3		令第96条第1項第1号イ該当	令第96条第1項第3号ホ該当	令第96条第1項第 号 該当	令第96条第1項第 号 該当	
同 上 の 発 生 時 期	4		令 6・11・30	令 6・6・30	・ ・	・ ・	
当 期 繰 入 額	5		400,000 円	500,000 円	円	円	900,000 円
繰入限度額の計算	個 別 評 価 金 銭 債 権 の 額	6	900,000	600,000			1,500,000
	(6)のうち5年以内に弁済される金額 (令第96条第1項第1号に該当する場合)	7	500,000				
	(6)のうち取立て等の見込額	担保権の実行による取立て等の見込額	8				
		他の者の保証による取立て等の見込額	9				
		その他による取立て等の見込額	10				
		(8)+(9)+(10)	11				
	(6)のうち実質的に債権とみられない部分の金額	12		100,000			
	(6)-(7)-(11)-(12)	13	400,000	500,000			
	繰入限度額	令 第 96 条 第 1 項 第 1 号 該 当 (13)	14	400,000				400,000 円
		令 第 96 条 第 1 項 第 2 号 該 当 (13)	15				
		令 第 96 条 第 1 項 第 3 号 該 当 (13)×50%	16		250,000			250,000
		令 第 96 条 第 1 項 第 4 号 該 当 (13)×50%	17				
繰 入 限 度 超 過 額 (5)-((14)、(15)、(16)又は(17))	18		0	250,000			250,000
貸倒実績率の計算の基礎となる金額の明細	貸倒れによる損失の額等の合計額に加える金額 ((6)の個別評価金銭債権が売掛債権等である場合の(5)と((14)、(15)、(16)又は(17))のうち少ない金額)	19	400,000	250,000			650,000
	前期の個別評価金銭債権の額 (前期の(6))	20	1,200,000				1,200,000
	(20)の個別評価金銭債権が売掛債権等である場合の当該個別評価金銭債権に係る損金算入額 (前期の(19))	21	600,000				600,000
	(21)に係る売掛債権等が当期において貸倒れとなった場合のその貸倒れとなった金額	22	300,000				300,000
	(21)に係る売掛債権等が当期においても個別評価の対象となった場合のその対象となった金額	23	900,000				900,000
	(22)又は(23)に金額の記載がある場合の(21)の金額	24	600,000				600,000

一括評価金銭債権に係る貸倒引当金の損金算入に関する明細書	事業年度	令和 6・4・1 令和 7・3・31	法人名	ステップアップ株式会社

別表十一(二) 令六・四・一以後終了事業年度分

				円
当 期 繰 入 額		1		1,200,000
繰入限度額の計算	期末一括評価金銭債権の帳簿価額の合計額(22の計)	2		68,900,000
	貸 倒 実 績 率(15)	3		0.0150
	実質的に債権とみられないものの額を控除した期末一括評価金銭債権の帳簿価額の合計額(24の計)	4		67,700,000 円
	法 定 の 繰 入 率	5	$\frac{10}{1,000}$	
	繰 入 限 度 額((2)×(3))又は((4)×(5))	6		1,033,500 円
繰 入 限 度 超 過 額(1)-(6)		7		166,500

貸倒実績率の計算				円
	前3年内事業年度(設立事業年度である場合には当該事業年度)の(2)の合計額	8		240,000,000
	$\frac{(8)}{\text{前3年内事業年度における事業年度の数}}$	9		80,000,000
前3年内事業年度(設立事業年度である場合には当該事業年度)の	売掛債権等の貸倒れによる損失の額の合計額	10		3,000,000
	別表十一(一)「19の計」の合計額	11		900,000
	別表十一(一)「24の計」の合計額	12		300,000
	貸倒れによる損失の額等の合計額(10)+(11)-(12)	13		3,600,000
	$(13)\times\frac{12}{\text{前3年内事業年度における事業年度の月数の合計}}$	14		1,200,000
	貸 倒 実 績 率 $\frac{(14)}{(9)}$(小数点以下4位未満切上げ)	15		0.0150

一 括 評 価 金 銭 債 権 の 明 細

勘定科目	期末残高	売掛債権等とみなされる額及び貸倒否認額	(16)のうち税務上貸倒れがあったものとみなされる額及び売掛債権等に該当しないものの額	個別評価の対象となった売掛債権等の額及び併合等により合併法人等に移転する売掛債権等の額	法第52条第1項第3号に該当する法人の令第96条第9項各号の金銭債権以外の金銭債権の額	完全支配関係がある他の法人に対する売掛債権等の額	配当等の額	期末一括評価金銭債権の額(16)+(17)-(18)-(19)-(20)-(21)	実質的に債権とみられないものの額	差引期末一括評価金銭債権の額(22)-(23)
	16	17	18	19	20	21		22	23	24
受取手形	16,000,000 円	円	円	600,000	円	円	円	15,400,000 円	円	15,400,000 円
売掛金	54,000,000			900,000				53,100,000	1,200,000	51,900,000
立替金	700,000		300,000					400,000		400,000
短期貸付金	4,000,000					4,000,000		0		
計	74,700,000	0	300,000	1,500,000	0	4,000,000		68,900,000	1,200,000	67,700,000

基準年度の実績により実質的に債権とみられないものの額を計算する場合の明細

平成27年4月1日から平成29年3月31日までの間に開始した各事業年度末の一括評価金銭債権の額の合計額	25	円	債権からの控除割合 $\frac{(26)}{(25)}$(小数点以下3位未満切捨て)	27	
同上の各事業年度末の実質的に債権とみられないものの額の合計額	26		実質的に債権とみられないものの額(22の計)×(27)	28	円

資料 255

寄附金の損金算入に関する明細書

事業年度	令和 6・4・1 令和 7・3・31	法人名	ステップアップ株式会社

別表十四（二）　令六・四・一以後終了事業年度分

公益法人等以外の法人の場合			公益法人等の場合		
一般寄附金の損金算入限度額の計算	支出した寄附金の額	指定寄附金等の金額（41の計）	1	200,000円	損金算入限度額の計算	支出した寄附金の額	長期給付事業への繰入利子額	25	円
		特定公益増進法人等に対する寄附金額（42の計）	2	100,000		同上以外のみなし寄附金額	26	
		その他の寄附金額	3	500,000		その他の寄附金額	27	
		計 (1)+(2)+(3)	4	800,000		計 (25)+(26)+(27)	28	
		完全支配関係がある法人に対する寄附金額	5			所得金額仮計（別表四「26の①」）	29	
		計 (4)+(5)	6	800,000		寄附金支出前所得金額 (28)+(29)（マイナスの場合は0）	30	
	所得金額仮計（別表四「26の①」）	7	30,000,000		同上の 50/100 相当額（50/100相当額が年200万円に満たない場合（当該法人が公益社団法人又は公益財団法人である場合を除く。）は、年200万円）	31	
	寄附金支出前所得金額 (6)+(7)（マイナスの場合は0）	8	30,800,000				
	同上の 2.5/100 相当額	9	770,000		公益社団法人又は公益財団法人の公益法人特別限度額（別表十四（二）付表「3」）	32	
	期末の資本金の額及び資本準備金の額の合計額又は出資金の額（別表五（一）「32の④」＋「33の④」）	10	50,000,000		長期給付事業を行う共済組合等の損金算入限度額 (25)と融資額の年5.5%相当額のうち少ない金額	33	
	同上の月数換算額 (10)×12/12	11	50,000,000		損金算入限度額 (31)、((31)と(32)のうち多い金額)又は((31)と(33)のうち多い金額)	34	
	同上の 2.5/1,000 相当額	12	125,000		指定寄附金等の金額（41の計）	35	
	一般寄附金の損金算入限度額 ((9)+(12))×1/4	13	223,750				
特定公益増進法人等に対する寄附金の特別損金算入限度額の計算	寄附金支出前所得金額の6.25/100相当額 (8)×6.25/100	14	1,925,000		国外関連者に対する寄附金額及び完全支配関係がある法人に対する寄附金額	36	
	期末の資本金の額及び資本準備金の額の合計額又は出資金の額の月数換算額の3.75/1,000相当額 (11)×3.75/1,000	15	187,500	損金不算入額	(28)の寄附金額のうち同上の寄附金以外の寄附金額 (28)-(36)	37	
	特定公益増進法人等に対する寄附金の特別損金算入限度額 ((14)+(15))×1/2	16	1,056,250		同上のうち損金の額に算入されない金額 (37)-(34)-(35)	38	
	特定公益増進法人等に対する寄附金の損金算入額 ((2)と((14)又は(16))のうち少ない金額)	17	100,000		国外関連者に対する寄附金額及び完全支配関係がある法人に対する寄附金額 (36)	39	
	指定寄附金等の金額 (1)	18	200,000		計 (38)+(39)	40	
	国外関連者に対する寄附金額及び本店等に対する内部寄附金額	19					
損金不算入額	(4)の寄附金額のうち同上の寄附金以外の寄附金額 (4)-(19)	20	800,000				
	同上のうち損金の額に算入されない金額 (20)-((9)又は(13))-(17)-(18)	21	276,250				
	国外関連者に対する寄附金額及び本店等に対する内部寄附金額 (19)	22					
	完全支配関係がある法人に対する寄附金額 (5)	23					
	計 (21)+(22)+(23)	24	276,250				

指定寄附金等に関する明細

寄附した日	寄附先	告示番号	寄附金の使途	寄附金額 41
令 6・7・3	公益財団法人K協会	第××号	博覧会開催の費用	200,000円
・・				
・・				
計				200,000

特定公益増進法人若しくは認定特定非営利活動法人等に対する寄附金又は認定特定公益信託に対する支出金の明細

寄附した日又は支出した日	寄附先又は受託者	所在地	寄附金の使途又は認定特定公益信託の名称	寄附金額又は支出金額 42
令 6・11・2	公益財産法人L協会	東京都世田谷区	事業資金	100,000円
計				100,000

その他の寄附金のうち特定公益信託（認定特定公益信託を除く。）に対する支出金の明細

支出した日	受託者	所在地	特定公益信託の名称	支出金額
・・				円
・・				
・・				

交際費等の損金算入に関する明細書

事業年度	令和 6・4・1 令和 7・3・31	法人名	ステップアップ株式会社

支出交際費等の額 （8の計）	1	8,813,190 円	損金算入限度額 （2）又は（3）	4	8,000,000 円
支出接待飲食費損金算入基準額 （9の計）× $\frac{50}{100}$	2	1,900,000	損 金 不 算 入 額 （1）－（4）	5	813,190
中小法人等の定額控除限度額 （(1)と((800万円×$\frac{12}{12}$)又は(別表十五付表「5」))のうち少ない金額)	3	8,000,000			

支 出 交 際 費 等 の 額 の 明 細

科 目	支 出 額	交際費等の額から控除される費用の額	差引交際費等の額	(8)のうち接待飲食費の額
	6	7	8	9
交 際 費	9,383,190 円	600,000 円	8,783,190 円	3,800,000 円
雑 費	30,000		30,000	
計	9,413,190	600,000	8,813,190	3,800,000

別表十五 令六・四・一以後終了事業年度分

旧定額法又は定額法による減価償却資産の償却額の計算に関する明細書

事業年度	令和 6・4・1 / 令和 7・3・31	法人名	ステップアップ株式会社

別表十六(一) 令六・四・一以後終了事業年度分

							合　計
資産区分	種　　　類	1	建物	ソフトウエア			合　計
	構　　　造	2	鉄骨鉄筋コンクリート				
	細　　　目	3	事務所用	その他のもの			
	取　得　年　月　日	4	平18・4・1	令5・4・1	・・	・・	・・
	事業の用に供した年月	5	平18年 4月	令5年 4月	年　月	年　月	年　月
	耐　用　年　数	6	50 年	5 年	年	年	年
取得価額	取得価額又は製作価額	7	外 100,000,000 円	外 1,500,000 円	外 円	外 円	外 101,500,000 円
	(7)のうち積立金方式による圧縮記帳の場合の償却額計算の対象となる取得価額に算入しない金額	8					
	差　引　取　得　価　額 (7)-(8)	9	100,000,000	1,500,000			101,500,000
帳簿価額	償却額計算の対象となる期末現在の帳簿記載金額	10	65,800,000	870,000			66,670,000
	期末現在の積立金の額	11					
	積立金の期中取崩額	12					
	差引帳簿記載金額 (10)-(11)-(12)	13	外△ 65,800,000	外△ 870,000	外△	外△	外△ 66,670,000
	損金に計上した当期償却額	14	1,800,000	330,000			2,130,000
	前期から繰り越した償却超過額	15	外	外	外	外	外
	合　計 (13)+(14)+(15)	16	67,600,000	1,200,000			68,800,000
当期分の普通償却限度額等	残　存　価　額	17	10,000,000				10,000,000
	差引取得価額×5% (9)×5/100	18	5,000,000				5,000,000
	(16>18)の場合 旧定額法の償却額計算の基礎となる金額 (9)-(17)	19	90,000,000				90,000,000
	旧定額法の償却率	20	0.020				
	算出償却額 (19)×(20)	21	1,800,000 円	円	円	円	1,800,000 円
	増加償却額 (21)×割増率	22	( )	( )	( )	( )	( )
	計 ((21)+(22))又は((16)-(18))	23	1,800,000				1,800,000
	(16≦18)の場合 算出償却額 ((18)-1円)×12/60	24					
	定額法の償却額計算の基礎となる金額 (9)	25		1,500,000			1,500,000
	定額法の償却率	26		0.200			
	算出償却額 (25)×(26)	27	円	300,000 円	円	円	300,000 円
	増加償却額 (27)×割増率	28	( )	( )	( )	( )	( )
	計 (27)+(28)	29		300,000			300,000
	当期分の普通償却限度額等 (23)、(24)又は(29)	30	1,800,000	300,000			2,100,000
当期分の償却限度額	特別償却又は割増償却の償却限度額 租税特別措置法適用条項	31	条　項 ( )	条　項 ( )	条　項 ( )	条　項 ( )	条　項 ( )
	特別償却限度額	32	外 円	外 円	外 円	外 円	外 円
	前期から繰り越した特別償却不足額又は合併等特別償却不足額	33					
	合　計 (30)+(32)+(33)	34	1,800,000	300,000			2,100,000
	当　期　償　却　額	35	1,800,000	330,000			2,130,000
差引	償却不足額 (34)-(35)	36					
	償却超過額 (35)-(34)	37		30,000			30,000
償却超過額	前期からの繰越額	38	外	外	外	外	外
	当期損金認容額 償却不足によるもの	39					
	積立金取崩しによるもの	40					
	差引合計翌期への繰越額 (37)+(38)-(39)-(40)	41		30,000			30,000
特別償却不足額	翌期に繰り越すべき特別償却不足額 ((36)-(39))と((32)+(33))のうち少ない金額	42					
	当期において切り捨てる特別償却不足額又は合併等特別償却不足額	43					
	差引翌期への繰越額 (42)-(43)	44					
	翌期への繰越額の内訳 ・・ ・・	45					
	当期分不足額	46					
	適格組織再編成により引き継ぐべき合併等特別償却不足額 ((36)-(39))と(32)のうち少ない金額	47					

備考

旧定率法又は定率法による減価償却資産の償却額の計算に関する明細書

事業年度　令和 6・4・1 ～ 令和 7・3・31　　法人名　ステップアップ株式会社

別表十六(二)　令六・四・一以後終了事業年度分

区分	No	車両運搬具	器具及び備品			合　計
資産区分 種類	1	車両運搬具	器具及び備品			合　計
構造	2	前掲のもの以外のもの	事務機器及び通信機器			
細目	3	自動車	複写機			
取得年月日	4	令2・9・1	令6・4・1	・・	・・	・・
事業の用に供した年月	5	令2年9月	令6年4月	年月	年月	年月
耐用年数	6	6年	5年	年	年	年
取得価額 取得価額又は製作価額	7	外 2,000,000円	外 625,000円	外 円	外 円	外 2,625,000円
(7)のうち積立金方式による圧縮記帳の場合の償却額計算の対象となる取得価額に算入しない金額	8					
差引取得価額 (7)-(8)	9	2,000,000	625,000			2,625,000
償却額計算の基礎となる額 償却額計算の対象となる期末現在の帳簿記載金額	10	318,481	355,000			673,481
期末現在の積立金の額	11					
積立金の期中取崩額	12					
差引帳簿記載金額 (10)-(11)-(12)	13	外△ 318,481	外△ 355,000	外△	外△	外△ 673,481
損金に計上した当期償却額	14	159,718	270,000			429,718
前期から繰り越した償却超過額	15	外	外	外	外	外
合計 (13)+(14)+(15)	16	478,199	625,000			1,103,199
前期から繰り越した特別償却不足額又は合併等特別償却不足額	17					
償却額計算の基礎となる金額 (16)-(17)	18	478,199	625,000			1,103,199
当期分の普通償却限度額等 平成19年3月31日以前取得分 差引取得価額×5% (9)×5/100	19					
旧定率法の償却率	20					
算出償却額 (18)×(20)	21	円	円	円	円	円
増加償却額 (21)×割増率	22	( )	( )	( )	( )	( )
計 ((21)+(22))又は((18)-(19))	23					
算出償却額 ((19)-1円)×12/60	24					
平成19年4月1日以後取得分 定率法の償却率	25	0.333	0.400			
調整前償却額 (18)×(25)	26	159,240円	12月 (250,000)/250,000円	円	円	409,240円
保証率	27	0.09911	0.10800			
償却保証額 (9)×(27)	28	198,220円	67,500円	円	円	265,720円
(26<28)の場合 改定取得価額	29	478,199				478,199
改定償却率	30	0.334				
改定償却額 (29)×(30)	31	159,718円	円	円	円	159,718円
増加償却額 ((26)又は(31))×割増率	32	( )	( )	( )	( )	( )
計 ((26)又は(31))+(32)	33	159,718	250,000			409,718
当期分の普通償却限度額等 (23)、(24)又は(33)	34	159,718	250,000			409,718
当期分の償却限度額 特別償却限度額 租税特別措置法適用条項	35	条 項	条 項	条 項	条 項	条 項
特別償却限度額	36	外 円	外 円	外 円	外 円	外 円
前期から繰り越した特別償却不足額又は合併等特別償却不足額	37					
合計 (34)+(36)+(37)	38	159,718	250,000			409,718
当期償却額	39	159,718	270,000			429,718
差引 償却不足額 (38)-(39)	40					
償却超過額 (39)-(38)	41		20,000			20,000
償却超過額 前期からの繰越額	42	外	外	外	外	外
当期損金認容額 償却不足によるもの	43					
積立金取崩しによるもの	44					
差引合計翌期への繰越額 (41)+(42)-(43)-(44)	45		20,000			20,000
特別償却不足額 翌期に繰り越すべき特別償却不足額 (((40)-(43))と((36)+(37))のうち少ない金額)	46					
当期において切り捨てる特別償却不足額又は合併等特別償却不足額	47					
差引翌期への繰越額 (46)-(47)	48					
翌期への繰越額の内訳	49	・・	・・			
当期分不足額	50					
適格組織再編成により引き継ぐべき合併等特別償却不足額 ((40)-(43))と(36)のうち少ない金額)	51					

備考

資料 259

			事業年度	令和 6・4・1 令和 7・3・31	法人名	ステップアップ株式会社

少額減価償却資産の取得価額の損金算入の特例に関する明細書

別表十六(七) 令六・四・一以後終了事業年度分

資産区分	種　　　　　類	1	器具及び備品	器具及び備品			
	構　　　　　造	2	事務機器及び通信機器	事務機器及び通信機器			
	細　　　　　目	3	パーソナルコンピュータ	その他の事務機器			
	事業の用に供した年月	4	令 7・1	令 7・2	・	・	・
取得価額	取得価額又は製作価額	5	250,000 円	280,000 円	円	円	円
	法人税法上の圧縮記帳による積立金計上額	6					
	差引改定取得価額 (5)−(6)	7	250,000	280,000			
資産区分	種　　　　　類	1					
	構　　　　　造	2					
	細　　　　　目	3					
	事業の用に供した年月	4	・	・	・	・	・
取得価額	取得価額又は製作価額	5	円	円	円	円	円
	法人税法上の圧縮記帳による積立金計上額	6					
	差引改定取得価額 (5)−(6)	7					
資産区分	種　　　　　類	1					
	構　　　　　造	2					
	細　　　　　目	3					
	事業の用に供した年月	4	・	・	・	・	・
取得価額	取得価額又は製作価額	5	円	円	円	円	円
	法人税法上の圧縮記帳による積立金計上額	6					
	差引改定取得価額 (5)−(6)	7					
当期の少額減価償却資産の取得価額の合計額 ((7)の計)		8					530,000 円

別表十六(八) 令六・四・一以後終了事業年度分

一括償却資産の損金算入に関する明細書

事業年度	令和 6・4・1 令和 7・3・31	法人名	ステップアップ株式会社

							（当期分）
事業の用に供した事業年度	1	令 4・4・1 令 5・3・31	・・ ・・	令 5・4・1 令 6・3・31	・・ ・・	・・ ・・	
同上の事業年度において事業の用に供した一括償却資産の取得価額の合計額	2	円 600,000	円	円 540,000	円	円	円 450,000
当期の月数 （事業の用に供した事業年度の中間申告の場合は、当該事業年度の月数）	3	月 12	月	月 12	月	月	月 12
当期分の損金算入限度額 $(2) \times \dfrac{(3)}{36}$	4	円 200,000	円	円 180,000	円	円	円 150,000
当期損金経理額	5						450,000
差引 損金算入不足額 (4)-(5)	6	200,000		180,000			
差引 損金算入限度超過額 (5)-(4)	7						300,000
損金算入限度超過額 前期からの繰越額	8	200,000		360,000			
損金算入限度超過額 同上のうち当期損金認容額 ((6)と(8)のうち少ない金額)	9	200,000		180,000			
損金算入限度超過額 翌期への繰越額 (7)+(8)-(9)	10	0		180,000			300,000

別記様式

FB4011

資料 261

この用紙はとじこまないでください

当該適用額明細書を再提出する場合には、訂正箇所のみ記載するのでなく、すべての租税特別措置について記載してください。

OCR入力用（この用紙は機械で読み取ります。折ったり汚したりしないでください。）

令和　年　月　日	自令和 06 年 04 月 01 日	事業年度分の適用額明細書
麹町 税務署長殿	至令和 07 年 03 月 31 日	（当初提出分）・ 再提出分

収受印

納　税　地	東京都千代田区大手町〇〇〇 電話（00　）0000－0000	整理番号	1 2 3 4 5 6 7 8
（フリガナ）	ステップ アップ	提出枚数	1 枚　うち 1 枚目
法　人　名	ステップアップ株式会社	事業種目	機械器具卸売業　業種番号 3 6
法 人 番 号	1 2 3 4 5 6 7 8 9 0 1 2 3	※税務署処理欄 提出年月日	令和 □□ 年 □□ 月 □□ 日
期末現在の資本金の額又は出資金の額	兆　十億　百万　千　円　5 0 0 0 0 0 0 0		
所得金額又は欠損金額	十億　百万　千　円　3 0 3 4 5 4 3 0		

租 税 特 別 措 置 法 の 条 項	区 分 番 号	適 用 額
		十億　百万　千　円
第 67 条 の5 第 1 項第　　号	0 0 2 7 7	5 3 0 0 0 0
第 42 条 の3の2 第 1 項第 1 号	0 0 3 8 0	8 0 0 0 0 0 0
第　　条 第　　項第　　号		
第　　条 第　　項第　　号		
第　　条 第　　項第　　号		
第　　条 第　　項第　　号		
第　　条 第　　項第　　号		
第　　条 第　　項第　　号		
第　　条 第　　項第　　号		
第　　条 第　　項第　　号		
第　　条 第　　項第　　号		
第　　条 第　　項第　　号		
第　　条 第　　項第　　号		
第　　条 第　　項第　　号		
第　　条 第　　項第　　号		
第　　条 第　　項第　　号		
第　　条 第　　項第　　号		
第　　条 第　　項第　　号		
第　　条 第　　項第　　号		
第　　条 第　　項第　　号		

付　録

給与等の支給額が増加した
場合の法人税額の特別控除
（賃上げ促進税制）

① はじめに

　この制度は、青色申告書を提出する法人が、令和 6 年 4 月 1 日から令和 9 年 3 月31日までの間に開始する各事業年度において、国内雇用者に対して支給する給与等を増額した場合、一定の要件を満たすときは、その増加額の一部を法人税額から控除することができる制度で、いわゆる、賃上げ促進税制といいます。

　この税制は、以前から措置されていましたが、令和 6 年度税制改正により大幅に改正されています。

　また、改正前は、いわゆる大企業向けと中小企業向けの 2 つの区分でしたが、改正後は、新たに、中堅企業向けの区分が設けられています。

　これにより、改正後の租税特別措置法第42条の12の 5 では、大企業向けの第 1 項、中堅企業向けの第 2 項、中小企業向けの第 3 項が規定され、使用する別表も改訂されています。

　今回は、第 3 項の中小企業向けの措置について、その制度の内容と別表の記載の仕方をみてみましょう。

対象法人の区分と別表	改正前	改正後
全法人向け（大企業向け）	青色申告書を提出する全法人【旧 1 項】	同左【新 1 項】
中堅企業向け		青色申告書を提出する従業員数2,000人以下の企業（＊）【新 2 項】
中小企業向け	青色申告書を提出する中小企業者等【旧 2 項】	同左【新 3 項】
別表	別表 6 （26）及び別表 6 （26）付表一	別表 6 （24）及び別表 6 （24）付表一

（＊）その企業及びその企業との間にその企業による支配関係がある企業の従業員数の合計が 1 万人を超えるものを除きます。

② 制度の内容

●（1）適用対象者

　中小企業向けの措置を適用できる者は、青色申告書を提出する中小企業者又は農業協同組合等です。【租税特別措置法第42条の4第4項、第19項第七号、八号、九号、租税特別措置法施行令27条の4第25項】

　中小企業者とは、下記に掲げる法人をいいます。

❶　資本金の額又は出資金の額が1億円以下の法人のうち次の㈑又は（ロ）に該当しない法人

　㈑　発行済株式総数又は出資総額（自己株式または出資を除く。以下同じ）の2分の1以上が同一の大規模法人（※）の所有に属している法人

　㈒　発行済株式総数又は出資総額の3分の2以上が大規模法人（※）の所有に属している法人

　（※）　大規模法人とは、下記に掲げる法人をいい、中小企業投資育成株式会社は除きます。
　　　・資本金の額もしくは出資金の額が1億円を超える法人
　　　・資本もしくは出資を有しない法人のうち常時使用する従業員の数が1,000人を超える法人
　　　・大法人（資本金の額又は出資金の額が5億円以上の法人等）との間にその大法人による完全支配関係がある法人
　　　・完全支配関係がある全ての大法人が有する株式および出資の全部をその全ての大法人のうちいずれか一の法人が有するものとみなした場合において、そのいずれか一の法人による完全支配関係があることとなるときの法人

❷　資本もしくは出資を有しない法人のうち常時使用する従業員の数が1,000人以下の法人

　また、中小企業者に該当することとなっても、前3事業年度の所得金額の平均額が15億円超である適用除外事業者に該当する場合には、中小企業向けの措置は適用できません。

（2）適用要件

適用要件は、次の①及び②の要件です。

改正前と改正後では、変更はありません。

① 国内雇用者に対し給与等を支給すること
② 雇用者給与等支給額が前年度と比べて1.5%以上増加していること

$$\frac{(雇用者給与等支給額－比較雇用者給与等支給額)}{比較雇用者給与等支給額} \geqq 1.5\%$$

《用語の説明》

(イ) 国内雇用者

　法人の使用人のうち国内の事業所に勤務する雇用者で、労働基準法に規定する賃金台帳に記載された者をいいます。

　パートやアルバイト、日雇い労働者も使用人に含まれますが、その法人の役員や使用人兼務役員及び役員の親族などの特殊関係者は含まれません。

(ロ) 給与等

　所得税法第28条第1項に規定する俸給、給料、賃金、歳費及び賞与並びにこれらの性質を有する給与をいいます。なお、給与所得に該当しない退職金等は給与等に含まれません。

(ハ) 雇用者給与等支給額

　雇用者給与等支給額は、適用年度の損金の額に算入される国内雇用者に対する給与等の支給額から、補填額を控除した金額です。

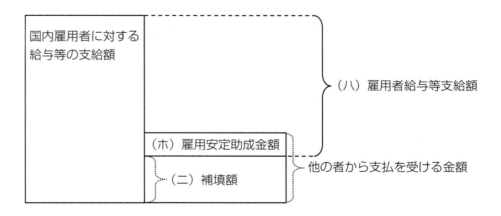

(ニ) 補填額

　補填額は、補助金等（補助金、助成金、給付金又は負担金その他これらに類する

性質を有するものをいい、雇用安定助成金を除きます。）のうち、下記に掲げるものの交付額が該当します。

① 補助金等の要綱、要領又は契約において、その補助金等の交付の趣旨又は目的がその交付を受ける法人の給与等の支給額に係る負担を軽減させることが明らかにされているもの

② ①に掲げるもののほか、補助金等の交付額の算定方法が給与等の支給実績又は支給単価（雇用契約において時間、日、月、年ごとにあらかじめ決められている給与等の支給額をいいます。）を基礎として定められているもの

※ ①及び②に該当する国の補助金等の例は、中小企業庁のウエブサイトの「中小企業向け賃上げ促進税制ご利用ガイドブック」に掲載されています。

③ 法人の使用人が他の法人に出向した場合において、その出向した使用人（「出向者」）に対する給与を出向元法人が支給することとしているときに、出向元法人が出向先法人から支払を受けた出向先法人の負担すべき給与に相当する金額（「給与負担金」）

令和6年度税制改正により、役務の提供に対する対価の性質を有するものは、補助金等に含まれないこととなります。

これにより、次のものは、補填額に該当しません。

看護職員処遇改善評価料の額及び介護職員処遇改善加算の額のように、次の（a）から（c）までに掲げる報酬の額その他これらに類する公定価格（法令又は法令に基づく行政庁の命令、許可、認可その他の処分に基づく価格をいいます。）が設定されている取引における取引金額に含まれる額

（a） 健康保険法その他法令の規定に基づく診療報酬の額

（b） 介護保険法その他法令の規定に基づく介護報酬の額

（c） 障害者の日常生活及び社会生活を総合的に支援するための法律その他法令の規定に基づく障害福祉サービス等報酬の額

㉍ 雇用安定助成金額

雇用安定助成金額は、国又は地方公共団体から受ける雇用保険法第62条第1項第1号に掲げる事業として支給が行われる助成金その他これに類するものの額をいい、具体的には、次のものが該当します。

① 雇用調整助成金、産業雇用安定助成金又は緊急雇用安定助成金の額

② ①に上乗せして支給される助成金の額その他の①に準じて地方公共団体から支給される助成金の額

比較雇用者給与等支給額

　　　比較雇用者給与等支給額は、前事業年度における雇用者給与等支給額をいいます。適用年度と月数が異なる場合には、調整を行います。

(3) 税額控除限度額

　税額控除限度額は、下記により計算した金額が法人税額から控除されます。ただし、控除額は法人税額の20％相当額が上限となります。

　　　控除対象雇用者給与等支給増加額　×　控除率　＝　税額控除限度額

　　　　　調整雇用者給与等支給増加額が上限　　　　　　　法人税額の20％が上限

　控除対象雇用者給与等支給増加額は、適用年度の雇用者給与等支給額から比較雇用者給与等支給額を差し引いた金額です。

　ただし、調整雇用者給与等支給増加額が上限となります。

　控除率は、雇用者給与等支給額の増加割合、教育訓練費の額の増加割合等及びくるみん又はえるぼしの認定の状況により、控除率が上乗せされます。

　令和６年度税制改正では、上乗せ措置の要件である教育訓練費の増加割合が10％から５％に引き下げられました。そして、新たな要件に、適用事業年度の教育訓練費の額が適用事業年度の全雇用者に対する給与等支給額の0.05％以上である場合に限り適用されることが追加されています。（次頁＊１）

　また、くるみん以上又はえるぼし２段階目以上の認定を受けた場合には、上乗せ措置の適用があります。（次頁＊２）

2．制度の内容　269

○令和6年度税制改正後の中小企業向け措置の控除率（令和6年4月1日以後に開始する事業年度）

雇用者給与等支給額の増加割合	教育訓練費の額の増加割合（当期の教育訓練費／雇用者給与等支給額≧0.05％の場合に限る）（＊1）	くるみん以上又はえるぼし2段階目以上の認定（＊2）	控除率
1.5％以上2.5％未満（控除率15％）	5％未満	なし	15％【通常の控除率】
		あり（控除率5％上乗せ）	20％（15％＋5％）
	5％以上（控除率10％上乗せ）	なし	25％（15％＋10％）
		あり（控除率5％上乗せ）	30％（15％＋10％＋5％）
2.5％以上（控除率15％＋15％上乗せ）	5％未満	なし	30％（15％＋15％）
		あり（控除率5％上乗せ）	35％（15％＋15％＋5％）
	5％以上（控除率10％上乗せ）	なし	40％（15％＋15％＋10％）
		あり（控除率5％上乗せ）	45％（15％＋15％＋10％＋5％）

　くるみん及びえるぼしは、それぞれ、次世代育成支援対策推進法及び女性の職業生活における活躍の推進に関する法律に基づき厚生労働大臣の認定を受けた証です。

　詳細は、厚生労働省のウエブサイトをご覧ください。

・https：//www.mhlw.go.jp/stf/seisakunitsuite/bunya/kodomo/shokuba_kosodate/kurumin/index.html

・https：//www.mhlw.go.jp/stf/seisakunitsuite/bunya/0000091025.html

くるみん以上又はえるぼし2段階目以上の認定を受けた場合とは、下記の場合をいいます。
① くるみん認定…その事業年度において次世代育成支援対策推進法第13条の認定を受けたこと
② プラチナくるみん認定…その事業年度終了の時において次世代育英支援対策推進法第15条の3第1項に規定する特例認定一般事業主に該当すること
③ えるぼし認定2段階目、3段階目…その事業年度において女性の職業生活における活躍の推進に関する法律第9条の認定を受けたこと
④ プラチナえるぼし認定…その事業年度終了の時において女性の職業生活における活躍の推進に関する法律第13条第1項に規定する特例認定一般事業主に該当すること

プラチナくるみん認定及びプラチナえるぼし認定は、適用年度の期末時点で、特例認定一般事業主に該当すれば上乗せ措置があります。しかしながら、これら以外では、認定を受けた適用年度のみ上乗せ措置があります。

《用語の説明》
○調整雇用者給与等支給増加額
　調整雇用者給与等支給増加額は、調整雇用者給与等支給額から調整比較雇用者給与等支給額を控除した金額をいいます。
　調整雇用者給与等支給額は、適用年度の雇用者給与等支給額から雇用安定助成金額を控除した金額です。
　調整比較雇用者給与等支給額は、前事業年度における調整雇用者給与等支給額をいいます。

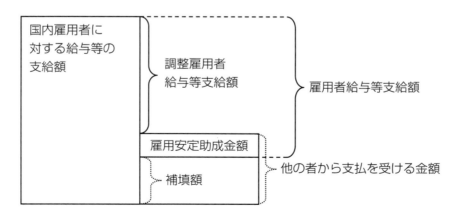

○教育訓練費
　教育訓練費とは、国内雇用者の職務に必要な技術又は知識を習得させ、又は向上さ

せるために支出する費用で一定のものをいいます。

具体的には、教育訓練等（教育、訓練、研修、講習など）を自ら行う場合の外部講師に対する費用や外部施設の賃借料、他の者に委託して教育訓練等を行う場合の研修委託費、他の者が行う研修等に参加させる場合の受講料などの費用が該当します。

（4）繰越税額控除制度の新設

企業が賃上げを行っても、その事業年度において赤字である場合には、法人税から控除することができません。

そこで、令和6年度税制改正では、中小企業向けの措置として、新たに、控除することができなかった金額を5年間繰り越すことが可能となりました。

未控除額を翌事業年度以降に繰り越す場合には、未控除額が発生した事業年度の申告で、別表6（24）及び別表6（24）付表一の添付が必要となります。また、翌事業年度以降で繰越控除額がゼロでも、繰越税額控除限度超過額を繰り越す場合には、繰越す事業年度の確定申告書に別表6（24）付表一を添付しなければなりません。

そして、繰越税額控除限度超過額を控除する事業年度では、雇用者給与等支給額が前事業年度より増加している場合に限り適用されます。

【イメージ図】

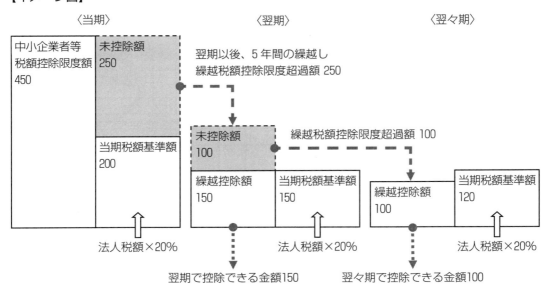

本制度の詳細は、中小企業庁のウエブサイトの「中小企業向け賃上げ促進税制ご利用ガイドブック」（https://www.chusho.meti.go.jp/zaimu/zeisei/syotokukakudai.html）で参照することができます。

272 付録

❸ 別表6（24）及び別表6（24）付表一を作成してみよう

● 設例

▷会社名：レベルアップ株式会社（青色申告法人であり、適用除外事業者には該当しません。）

▷期末の資本金：30,000,000円

▷株主：甲氏及び甲氏の親族　600株（100％）

▷期末の常時使用する従業員数：80人（国内の事業所に勤務する賃金台帳に記載された者です。）

▷当期の事業年度：令和6年4月1日〜令和7年3月31日

　＊前事業年度において、事業年度の変更および合併等の組織再編は行っていません。

▷当期の事業年度の別表1［1欄］所得金額：150,000,000円

▷当期の事業年度の別表1［2欄］法人税額： 34,144,000円

▷別表6（24）及び別表6（24）付表一の作成のための情報

項目 ＼ 事業年度	当期	前期
国内雇用者に対する給与等の支給額	464,640,000円	450,570,000円
キャリアアップ助成金（正社員化コース）	1,140,000円	570,000円
損金の額に算入した教育訓練費の額	535,000円	500,000円

▷当期において厚生労働大臣からくるみん認定を受けた。

給与等の支給額が増加した場合の法人税額の特別控除に関する明細書

| 事業年度 | ・ ・ ～ ・ ・ | 法人名 | | 別表六(二十四) 令六・四・一以後終了事業年度分 |

| 期末現在の資本金の額又は出資金の額 | 1 | 円 | **Step 1 ⇒ 適用可否の判定** | 可　否 | 3 | |
| 期末現在の常時使用する従業員の数 | 2 | | | | | |

法人税額の特別控除額の計算

雇用者給与等支給額（別表六(二十四)付表一「4」）	4	円
比較雇用者給与等支給額（別表六(二十四)付表一「5」）	5	
雇用者給与等支給増加額 (4)－(5)（マイナスの場合は0）	6	
雇用者給与等支給増加割合 $\dfrac{(6)}{(5)}$（(5)＝0の場合は0）	7	

Step 5 ⇒ 雇用者給与等支給増加割合の計算

調整雇用者給与等支給額（別表六(二十四)付表一「7」）	8	円
調整比較雇用者給与等支給額（別表六(二十四)付表一「8」）		
調整雇用者給与等支給増加額 (8)－...（マイナスの場合は0）		

Step 6 ⇒ 調整雇用者給与等支給増加額の計算

継続雇用者給与等支給額（別表六(二十四)付表一「19の①」）	11	
継続雇用者比較給与等支給額（別表六(二十四)付表一「19の②」又は「19の③」）	12	
継続雇用者給与等支給増加額 (11)－(12)（マイナスの場合は0）	13	
継続雇用者給与等支給増加割合 $\dfrac{(13)}{(12)}$（(12)＝0の場合は0）	14	

教育訓練費の額	15	円
比較教育訓練費の額（別表六(二十四)付表一「24」）	16	
教育訓練費増加額 (15)－(16)	17	
教育訓練費増加割合 $\dfrac{(17)}{(16)}$（(16)＝0の場合は0）	18	
雇用者給与等支給額比教育訓練費割合 $\dfrac{(15)}{(19)}$	19	

Step 7 ⇒ 教育訓練費増加割合の計算

| 控除対象雇用者給与等支給増加額 ((6)と(10)のうち少ない金額) | 20 | |
| 差引控除対象雇用者給与等支給増加額 ...（マイナスの場合は0） | | |

Step 8 ⇒ 税額控除限度額の計算の基礎となる雇用者給与等支給増加額の計算

税額控除限度額等の計算（令和6年3月31日以前に開始した事業年度の場合）

第1項適用の場合：
(14)≧4％の場合 0.1	23	
(18)≧20％又は(15)＝(17)＞0の場合 0.05	24	
税額控除限度額 (22)×(0.15＋(23)＋(24))（(14)＜0.03の場合は0）	25	円

第2項適用の場合：
(7)≧2.5％の場合 0.15	26	
(18)≧10％又は(15)＝(17)＞0の場合 0.1	27	
中小企業者等税額控除限度額 (22)×(0.15＋(26)＋(27))（(7)＜0.015の場合は0）	28	円

税額控除限度額の計算（令和6年4月1日以後に開始する事業年度の場合）

第1項適用の場合：
(14)≧4％の場合 (0.05、0.1又は0.15)	29	
(18)≧10％又は(15)＝(17)＞0の場合で、かつ、(19)≧0.05％の場合 0.05	30	
プラチナくるみん又はプラチナえるぼしを取得している場合 0.05	31	
税額控除限度額 (22)×(0.1＋(29)＋(30)＋(31))（(14)＜0.03の場合は0）	32	円

第2項適用の場合：
(14)≧4％の場合 0.15	33	
(18)≧10％又は(15)＝(17)＞0の場合で、かつ、(19)≧0.05％の場合 0.05	34	
プラチナくるみん又はえるぼし3段階目以上を取得している場合 0.05	35	
特定税額控除限度額 (22)×(0.1＋(33)＋(35))（(14)＜0.03の場合は0）	36	円

第3項適用の場合：
(7)≧2.5％の場合 0.15	37	
(18)≧5％又は(15)＝(17)＞0の場合で、かつ、(19)0.1...	38	
くるみん...を取得している場合	39	
中小企業者等税額控除限度額 (22)×(0.15＋(37)＋(38)＋(39))（(7)＜0.015の場合は0）	40	円

Step 9 ⇒ 中小企業者等の税額控除限度額の計算

調整前法人税額（別表一「2」又は別表一の二「2」若しくは「13」）	41	
当期税額基準額 (41)×$\dfrac{20}{100}$	42	
当期税額控除可能額 (((25)、(28)、(32)、(36)又は(40))と(42)のうち少ない金額)	43	
調整前法人税額超過構成額（別表六(六)「8の⑱」）	44	
当期税額控除額 (43)－(44)	45	

| 差引当期税額基準... | 46 | |

当期繰越分：
繰越税額控除限度超過額（別表六(二十四)付表一「25の⑪」）	47	
同上のうち当期繰越税額控除可能額 ((46)と(47)のうち少ない金額)（(4)≦(5)又は(5)＝0の場合は0）	48	
調整前法人税額超過構成額（別表六(六)「8の⑰」）	49	
当期繰越税額控除額 (48)－(49)	50	
法人税額の特別控除額 (45)＋(50)	51	

Step 10 ⇒ 法人税額の特別控除額の計算

付録

給与等支給額、比較教育訓練費の額及び翌期
繰越税額控除限度超過額の計算に関する明細書

事業年度	令和 6 ・ 4 ・ 1 令和 7 ・ 3 ・ 31	法人名	レベルアップ株式会社

別表六(二十四)付表一　令六・四・一以後終了事業年度分

雇用者給与等支給額及び調整雇用者給与等支給額の計算

国内雇用者に対する給与等の支給額	(1)の給与等に充てるため他の者から支払を受ける金額	(2)のうち雇用安定助成金額	雇用者給与等支給額 (1)-(2)+(3)	調整雇用者給与等支給額 (1)-(2) (マイナスの場合は0)
1		2	3	4	5

Step 2 ⇨ 当期の雇用者給与等支給額等の計算

円　　　　　　　円　　　　　　　円　　　　　　　円　　　　　　　円

比較雇用者給与等支給額及び調整比較雇用者給与等支給額の計算

前事業年度	国内雇用者に対する給与等の支給額	(7)の給与等に充てるため他の者から支払を受ける金額	(8)のうち雇用安定助成金額	適用年度の月数 (6)の前事業年度の月数
6 ・ ・	7	8	9	10

Step 3 ⇨ 比較雇用者給与等支給額等の計算

比較雇用者給与等支給額 ((7)-(8)+(9))×(10) (マイナスの場合は0)	11	円
調整比較雇用者給与等支給額 ((7)-(8))×(10) (マイナスの場合は0)	12	

継続雇用者給与等支給額及び継続雇用者比較給与等支給額の計算

		継続雇用者給与等支給額の計算	継続雇用者比較給与等支給額の計算	
		適用年度 ①	前事業年度 ②	前一年事業年度特定期間 ③
事業年度等	13		・ ・	・ ・
継続雇用者に対する給与等の支給額	14	円	円	円
同上の給与等に充てるため他の者から支払を受ける金額	15			
同上のうち雇用安定助成金額	16			
差引 (14)-(15)+(16)	17			
適用年度の月数 (13の③)の月数	18			
継続雇用者給与等支給額及び継続雇用者比較給与等支給額の計算 (17)又は((17)×(18))	19			円

比較教育訓練費の額の計算

事業年度	教育訓練費の額	適用年度の月数 (20)の事業年度の月数	改定教育訓練費の額 (21)×(22)
20	21	22	23
調整対象年度 ・ ・	円		円

Step 4 ⇨ 比較教育訓練費の額の計算

計

比較教育訓練費の額 (23の計)÷(調整対象年度数)	24	

翌期繰越税額控除限度超過額の計算

事業年度	前期繰越額又は当期税額控除限度額	当期控除可能額	翌期繰越額 (25)-(26)
	25	26	27
・ ・	円	円	
・ ・			外　　　　　　円
・ ・			外
・ ・			外
・ ・			外

Step11 ⇨ 翌期に繰り越す控除額の計算

・ ・			外
・ ・			外
・ ・			外
計		別表六(二十四)「48」	
当期分	別表六(二十四)「40」	別表六(二十四)「43」	外
合計			

Step ゼロ ▶中小企業者の判定

Step 1 の前に、措置法第42条の12の5第3項の適用を受けることのできる中小企業者であるか否かの判定を行います。

下記の「中小企業者の判定表」は、国税庁のウエブサイトで掲載されているものです。

この判定表は、別表ではないため申告書に添付する必要はありませんが、判定する際に、活用すると便利です。

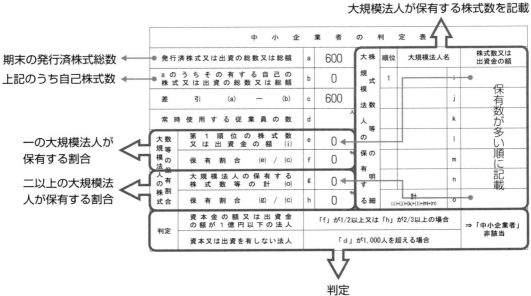

判定
資本金1億円以下の場合、
「f」が2分の1以上又は「h」が3分の2以上のとき、
中小企業者に非該当

また、中小企業者に該当しても、適用除外法人に該当する場合には、中小企業向けの措置である措置法第42条の12の5第3項の適用を受けることはできません。

次頁の「適用除外事業者の判定表」は、国税庁のウエブサイトで掲載されているものです。

この判定表も、別表ではないため申告書に添付する必要はありませんが、判定する際に、活用すると便利です。

適　用　除　外　事　業　者　の　判　定　表					
設立の日の翌日以後３年を経過していない場合					非該当
調整計算の要否		（不要）　・　要		措置法令第27条の４第26項第（　）号又は 令和２年旧措置法令第27条の４第22項第４号	
事業年度		各基準年度の所得金額 （別表一「１」等） （マイナスの場合は０） 1	（1）に対する法人税の額に係る欠損金の繰戻し 還付の金額の計算の基礎となった欠損金相当額 2		各基準年度の月数 3
基準年度	令3：4：1 令4：3：31	130,000,000 円	円		12 月
	令4：4：1 令5：3：31	135,000,000			12
	令5：4：1 令6：3：31	140,000,000			12
	：　　：				
	：　　：				
	：　　：				
計		405,000,000			36
調整計算が「要」である場合	基準年度の平均所得金額 （（（1の計）－（2の計））　／　（3の計））　×12	4	135,000,000		円
	（1の計）－（2の計） （（3の計）＞36の場合には、 （（（1の計）－（2の計））　／　（3の計））×36の金額）	5			
	合併等調整額	6			
	加算対象連結所得金額	7			
	計 (5) ＋ (6) ＋ (7)	8			
	平均所得金額 (8) ／ 3	9			
	適用除外事業者の判定 （（4）又は（9）＞15億円は該当）	10	該当　・　（非該当）		

Step ① ▶適用可否の判定

　別表6（24）［1欄］から［3欄］で、本制度を適用できる法人か否かの判定を行います。

　措置法第42条の12の5第3項の適用を受ける中小企業者の場合には、［3欄］は「可」となります。

期末現在の資本金の額又は出資金の額	1	30,000,000 円	適　　用　　可　　否	3	可
期末現在の常時使用する従業員の数	2	80 人			

Step 2 ▶当期の雇用者給与等支給額等の計算

別表6（24）付表一［1欄］から［5欄］で、当期の雇用者給与等支給額等を計算します。

雇用者給与等支給額及び調整雇用者給与等支給額の計算				
国内雇用者に対する給与等の支給額	(1)の給与等に充てるため他の者から支払を受ける金額	(2)のうち雇用安定助成金額	雇用者給与等支給額 (1)-(2)+(3) （マイナスの場合は0）	調整雇用者給与等支給額 (1)-(2) （マイナスの場合は0）
1	2	3	4	5
464,640,000 円	1,140,000 円	円	463,500,000 円	463,500,000 円

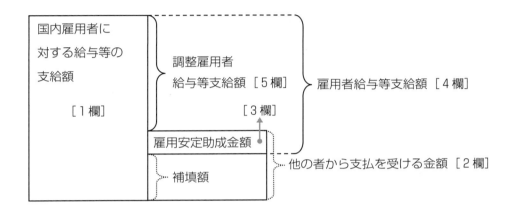

Step 3 ▶比較雇用者給与等支給額等の計算

別表6（24）付表一［6欄］から［12欄］で比較雇用者給与等支給額等を計算します。

比較雇用者給与等支給額及び調整比較雇用者給与等支給額の計算				
前事業年度	国内雇用者に対する給与等の支給額	(7)の給与等に充てるため他の者から支払を受ける金額	(8)のうち雇用安定助成金額	適用年度の月数 / (6)の前事業年度の月数
6	7	8	9	10
令5・4・1 令6・3・31	450,570,000 円	570,000 円	円	12/12
比較雇用者給与等支給額 ((7)-(8)+(9))×(10) （マイナスの場合は0）				11	450,000,000 円
調整比較雇用者給与等支給額 ((7)-(8))×(10) （マイナスの場合は0）				12	450,000,000

Step ④ ▶比較教育訓練費の額の計算

別表6（24）付表一［20欄］から［24欄］で比較教育訓練費の額を計算します。

比較教育訓練費の額とは、適用事業年度開始の日前1年以内に開始した事業年度の損金の額に算入される教育訓練費の額の年平均額をいいます。

ちなみに、［13欄］から［19欄］までは、租税特別措置法第42の12の5第1項又は第2項を適用する場合に記入しますので、第3項を適用する場合には、記入しません。

比　較　教　育　訓　練　費　の　額　の　計　算				
事　業　年　度	教 育 訓 練 費 の 額	適用年度の月数／(20)の事業年度の月数		改 定 教 育 訓 練 費 の 額 (21)×(22)
	20	21	22	23
調整年度対象度	令5・4・1 令6・3・31	500,000 円	12／12	500,000 円
	・　・		────	
計				500,000
比　較　教　育　訓　練　費　の　額 (23の計)÷(調整対象年度数)			24	500,000

［23欄］の計に調整対象事業年度の数で割った金額を記入

Step ⑤ ▶雇用者給与等支給増加割合の計算

別表6（24）に戻り、［4欄］から［7欄］雇用者給与等支給増加割合を計算します。

法　人　税　額　の　特　別		
雇 用 者 給 与 等 支 給 額 (別表六(二十四)付表一「4」)	4	463,500,000 円
比 較 雇 用 者 給 与 等 支 給 額 (別表六(二十四)付表一「11」)	5	450,000,000
雇 用 者 給 与 等 支 給 増 加 額 (4)-(5) （マイナスの場合は0）	6	13,500,000
雇 用 者 給 与 等 支 給 増 加 割 合 (6)／(5) （(5)=0の場合は0）	7	0.0300

Step 2）別表6（24）付表一の［4欄］から転記

Step 3）別表6（24）付表一の［11欄］から転記

［4欄］－［5欄］（マイナスの場合は0）

［6欄］／［5欄］で増加割合を計算 ⇒1.5％未満の場合には、適用要件を満たさない

3．別表6（24）及び別表6（24）付表一を作成してみよう　279

Step 6 ▶調整雇用者給与等支給増加額の計算

別表6（24）［8欄］から［10欄］で、調整雇用者給与等支給増加額を計算します。

調整雇用者給与等支給増加額の計算	調整雇用者給与等支給額 （別表六(二十四)付表一「5」）	8	463,500,000 円	● Step 2）別表6（24）付表一の ［5欄］から転記
	調整比較雇用者給与等支給額 （別表六(二十四)付表一「12」）	9	450,000,000	● Step 3）別表6（24）付表一の ［12欄］から転記
	調整雇用者給与等支給増加額 (8) − (9) （マイナスの場合は0）	10	13,500,000	● ［8欄]−[9欄]（マイナスの場合は0）

Step 7 ▶教育訓練費増加割合の計算

別表6（24）［15欄］から［19欄］で、控除率の上乗せ措置の適用を受けるための教育訓練費の増加割合と教育訓練費が雇用者給与等支給額に占める割合を計算します。

ちなみに、［11欄］から［14欄］までは、租税特別措置法第42の12の5第1項又は第2項を適用する場合に記入しますので、第3項を適用する場合には、記入しません。

教育訓練費増加割合の計算	教育訓練費の額	15	535,000 円	● 当期に損金算入した教育訓練費の額
	比較教育訓練費の額 （別表六(二十四)付表一「24」）	16	500,000	● Step 4）別表6（24）付表一の ［24欄］から転記
	教育訓練費増加額 (15) − (16) （マイナスの場合は0）	17	35,000	● ［15欄]−[16欄]（マイナスの場合は0）
	教育訓練費増加割合 (17) (16) （(16)＝0の場合は0）	18	0.0700	● ［17欄]／[16欄]で増加割合を計算 ［16欄]がゼロの場合には、増加割合 はゼロ
雇用者給与等支給額比教育訓練費割合 (15) (4)		19	0.0011	

令和6年度税制改正で新たに加えられた要件
当期の教育訓練費が雇用者給与等支給額に占める割合　［15欄］／［4欄］
　［19欄］が0.05％以上である場合に限り、上乗せ措置があります。

Step 8 ▶税額控除限度額の計算の基礎となる雇用者給与等支給増加額の計算

別表6（24）[20欄]から[22欄]で、税額控除限度額の計算の基礎となる雇用者給与等支給増加額を計算します。

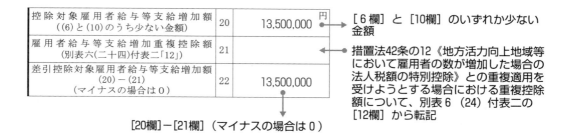

Step 9 ▶中小企業者等の税額控除限度額の計算

租税特別措置法第42の12の5第3項の適用を受ける場合には、別表6（24）[37欄]から[40欄]で、税額控除限度額を計算します。

ちなみに、[23欄]から[28欄]までは、令和6年3月31日以前に開始した事業年度について、改正前による賃上げ促進税制を適用する場合に使用します。

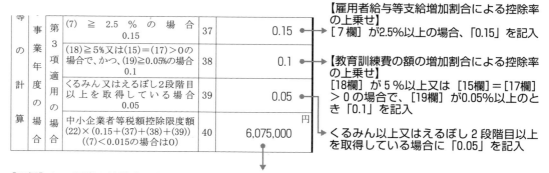

[22欄]に、通常の控除率である0.15に、上乗せ措置である[37欄]、[38欄]、[39欄]を加算した率を乗じます。[7欄]が1.5％未満の場合には、適用要件を満たさないためゼロとなります。

３．別表６（24）及び別表６（24）付表一を作成してみよう　281

Step ⑩ ▶法人税額の特別控除額の計算

別表６（24）の［41欄］から［51欄］で、特別控除額を計算します。

調整前法人税額 （別表一「2」又は別表一の二「2」若しくは「13」）	41	34,144,000	当期の別表1［2欄］の法人税額 ∴当期の所得金額の計算が完了していなければ計算できません
当期税額基準額 $(41) \times \dfrac{20}{100}$	42	6,828,800	税額控除額の上限額　［41欄］×20%
当期税額控除可能額 （（（（25）、（28）、（32）、（36）又は（40））と（42）のうち少ない金額）	43	6,075,000	［40欄］と［42欄］のいずれか少ない金額⇒別表6（6）［7の⑱欄］へ転記
調整前法人税額超過構成額 （別表六（六）「8の⑱」）	44		措置法第42条の13《法人税の額から控除される特別控除額の特例》の適用がある場合、別表6（6）［8の⑱欄］から転記
当期税額控除額 （43）−（44）	45	6,075,000	当期による分の税額控除額［43欄］−［44欄］⇒別表6（6）［9の⑱欄］へ転記
前 期 繰 越 分	差引当期税額基準額残額 （42）−（43）	46		
	繰越税額控除限度超過額 （別表六（二十四）付表一「25の計」）	47		【令和6年度税制改正により新設】 前期から繰り越してきた未控除分を、当期に控除する場合に使用します。
	同上のうち当期繰越税額控除可能額 （（46）と（47）のうち少ない金額） （（4）≦（5）又は（5）＝0の場合は0）	48		
	調整前法人税額超過構成額 （別表六（六）「8の⑰」）	49		
	当期繰越税額控除額 （48）−（49）	50		
法人税額の特別控除額 （45）＋（50）	51	6,075,000	当期の法人税から控除する特別控除額［45欄］＋［50欄］

▶翌期繰越税額控除限度超過額の計算

別表6（24）付表一で、翌期に繰り越す控除額があるかどうかを把握します。

一事業年度において、賃上げ促進税制で控除できる金額は、当期の法人税額の20％が限度です。

令和6年度税制改正では、新たに、第3項を適用した中小企業者等が控除しきれなかった金額を翌期以降5年間繰り越すことが可能となりました。

設問では翌期繰越額がゼロですが、仮に、翌期に繰り越す控除額がある場合には、申告書に別表6（24）付表一に記載が必要です。

翌期繰越税額控除限度超過額の計算			
事業年度	前期繰越額又は当期税額控除限度額 25	当期控除可能額 26	翌期繰越額 (25)－(26) 27
・・・	円	円	円
・・・			外
・・・			外
・・・			外
・・・			外
・・・			外
・・・			外
・・・			外
計		別表六(二十四)「48」	
当期分	別表六(二十四)「40」 6,075,000	別表六(二十四)「43」 6,075,000	外 0
合計			0

↓中小企業者等税額控除限度額
　別表6（24）[40欄]から転記
　当期に係る賃上げ促進税制の控除額

↓当期税額控除可能額
　別表6（24）[43欄]から転記
　当期の法人税から控除できる金額

↓翌期に繰り越す控除額

○別表6⑹について

法人が一の事業年度において、租税特別措置法における特別控除制度のうち2以上の規定の適用を受けようとする場合には、法人税額から控除される特別控除額は、次の⑴又は⑵のうち、いずれか少ない金額となります。

⑴　当期控除可能額
⑵　調整前法人税額の90％相当額

これを把握するために、別表6⑹を用います。

3．別表6（24）及び別表6（24）付表一を作成してみよう　283

([2欄]−[3欄])×90%

法人税の額から控除される特別控除額に関する明細書

| 事業年度 | 令6．4．1 令7．3．31 | 法人名 | レベルアップ株式会社 |

別表六(六) 令六・四・一以後終了事業年度分

法　人　税　額　の　特　別　控　除　額　及　び			調整前法人税額超過額の計算			
当 期 税 額 控 除 可 能 額 （7の合計）	1	6,075,000 円	当 期 税 額 基 準 額 $((2)-(3))\times\frac{90}{100}$	4	30,729,600 円
調 整 前 法 人 税 額 （別表一「2」又は別表一の二「2」若しくは「13」）	2	34,144,000	法 人 税 額 の 特 別 控 除 額 （(1)と(4)のうち少ない金額）＋(3)	5	6,075,000
試験研究費の額に係る個別控除対象額の法人税額の特別控除額 （別表六(十四)「14」＋「28」）	3		調 整 前 法 人 税 額 超 過 額 (1)−((5)−(3))	6	0

当 期 税 額 控 除 可 能 額 、調 整 前 法 人 税 額 超 過 構 成 額 及 び　（別表1［2欄］から転記）　（別表1［3欄］へ転記）　の 明 細

適 用 を 受 け る 各 税 額 控 除 の 区 分			当期税額控除可能額 7	調整前法人税額超過構成額 8	調整前法人税額超過額に係る税額の特別控除額
一般試験研究費の額に係る法人税額の特別控除	当 期 分	①	別表六(九)「21」 円	円	別表六(九)「23」 円
中小企業者等の試験研究費の額に係る法人税額の特別控除	当 期 分	②	別表六(十)「18」		別表六(十)「20」
特別試験研究費の額に係る法人税額の特別控除	当 期 分	③	別表六(十二)「9」		別表六(十二)「11」
中小企業者等が機械等を取得した場合の法人税額の特別控除	前期繰越分計	④	別表六(六)付表「1の③」	別表六(六)付表「2の③」	別表六(十五)「21」
	当 期 分	⑤	別表六(十五)「14」		別表六(十五)「16」
沖縄の特定地域において工業用機械等を取得した場合の法人税額の特別控除	前期繰越分計	⑥	別表六(六)付表「1の⑧」	別表六(六)付表「2の⑧」	別表六(十六)「23」
	当 期 分	⑦	別表六(十六)「16」		別表六(十六)「18」
国家戦略特別区域において機械等を取得した場合の法人税額の特別控除	当 期 分	⑧	別表六(十七)「23」		別表六(十七)「25」
国際戦略総合特別区域において機械等を取得した場合の法人税額の特別控除	当 期 分	⑨	別表六(十八)「23」		別表六(十八)「25」
地域経済牽引事業の促進区域内において特定事業用機械等を取得した場合の法人税額の特別控除	当 期 分	⑩	別表六(十九)「18」		別表六(十九)「20」
地方活力向上地域等において特定建物等を取得した場合の法人税額の特別控除	当 期 分	⑪	別表六(二十)「16」		別表六(二十)「18」
地方活力向上地域等において雇用者の数が増加した場合の法人税額の特別控除		⑫	別表六(二十一)「21」		別表六(二十一)「23」
		⑬	別表六(二十一)「27」		別表六(二十一)「29」
認定地方公共団体の寄附活用事業に関連する寄附をした場合の法人税額の特別控除	当 期 分	⑭	別表六(二十二)「8」		別表六(二十二)「10」
中小企業者等が特定経営力向上設備等を取得した場合の法人税額の特別控除	前期繰越分計	⑮	別表六(六)付表「1の⑪」	別表六(六)付表「2の⑪」	別表六(二十三)「22」
	当 期 分	⑯	別表六(二十三)「15」		別表六(二十三)「17」
給与等の支給額が増加した場合の法人税額の特別控除	前期繰越分計	⑰	別表六(六)付表「1の⑰」	別表六(六)付表「2の⑰」	別表六(二十四)「50」
	当 期 分	⑱	別表六(二十四)「43」 6,075,000		別表六(二十四)「45」 6,075,000
認定特定高度情報通信技術活用設備を取得した場合の法人税額の特別控除	当 期 分	⑲	別表六(二十五)「18」		別表六(二十五)「20」
情報技術事業適応設備を取得した場合、事業適応繰延資産となる費用を支出した場合又は生産工程効率化等設備等を取得した場合の法人税額の特別控除	当 期 分	⑳			
		㉑	別表六(二十六)「26」		別表六(二十六)「28」
		㉒	別表六(二十六)「41」		別表六(二十六)「43」
産業競争力基盤強化商品生産用資産を取得した場合の法人税額の特別控除	前期繰越分計	㉓	別表六(六)付表「1の㉑」	別表六(六)付表「2の㉑」	別表六(二十七)「23」
		㉔	別表六(六)付表「1の㉖」	別表六(六)付表「2の㉖」	別表六(二十七)「33」
	当 期 分	㉕	別表六(二十七)「16」		別表六(二十七)「18」
		㉖	別表六(二十七)「26」		別表六(二十七)「28」
特定復興産業集積区域等において機械等を取得した場合の法人税額の特別控除	前期繰越分計	㉗	別表六(六)付表「1の㉛」	別表六(六)付表「2の㉛」	別表六(二十八)「29」
	当 期 分	㉘	別表六(二十八)「22」		別表六(二十八)「24」
特定復興産業集積区域等において被災雇用者等を雇用した場合の法人税額の特別控除	当 期 分	㉙	別表六(二十九)「12」		別表六(二十九)「14」
合　　　計			6,075,000	(6)	(5)−(3) 6,075,000

【別表１】

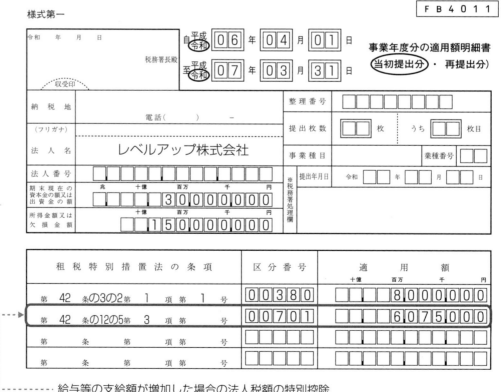

【適用額明細書】

租税特別措置法の適用を受けることにより、法人税額が減少しますので、適用額明細書に、「租税特別措置法の条項」「区分番号」「適用額」を記載します。

《著者略歴》

柴田　知央　（しばた　ともひろ）

税理士

明治大学商学部商学科卒。

プライスウォーターハウスクーパースを経て、辻・本郷税理士法人において法人全般に関する会計

税務の他、相続税や同族会社の事業承継対策などを担当。平成21年柴田知央税理士事務所設立。

法人税、消費税、経理全般等に関するセミナー講師を務める。

〈主な著書〉

「中小企業のための法人税特例ガイドブック」（税務研究会）

「将来の「相続」のはなし」（税務研究会　税研情報センター）

「法人成りの活用と留意点」（共著・税務研究会）

「生前贈与活用ガイド」（税務研究会　税研情報センター）他

令和6年10月改訂　基礎の基礎　1日でマスター　法人税申告書の作成

2024年10月30日　発行

著　者　　柴田　知央 Ⓒ

発行者　　小泉　定裕

発行所　　株式会社 清文社

東京都文京区小石川1丁目3-25（小石川大国ビル）
〒112-0002　電話03(4332)1375　FAX 03(4332)1376
大阪市北区天神橋2丁目北2-6（大和南森町ビル）
〒530-0041　電話06(6135)4050　FAX 06(6135)4059
URL https://www.skattsei.co.jp/

印刷：亜細亜印刷㈱

■著作権法により無断複写複製は禁止されています。落丁本・乱丁本はお取り替えします。
■本書の内容に関するお問い合わせは編集部までFAX(03-4332-1378)又はメール(edit-e@skattsei.co.jp)でお願いします。
■本書の追録情報等は、当社ホームページ（https://www.skattsei.co.jp/）をご覧ください。

ISBN978-4-433-71014-9